Josef Gehrer
Auf der Pirsch

Josef Gehrer

Auf der Pirsch

Jagdgeschichten

Mit Zeichnungen von Walther Niedl,
Gertraud Mayr und Kurt Tessmann

rosenheimer

3. Auflage
© 2001 Rosenheimer Verlagshaus GmbH & Co. KG, Rosenheim
Titel der 1. Auflage: »Auf Pirsch im Bergrevier«

Titelbild: Bavaria Bildagentur, PP
Bildnachweis: Gertraud Mayr, S. 11
             Walther Niedl, S. 33, 53, 74, 95, 116, 138, 162, 195
             Kurt Tessmann, S. 184

Satz: Tau-Type, Bad Sauerbrunn, Österreich
Lithographien: Hochland-Repro, Rosenheim
Druck und Bindung: Wiener Verlag, Himberg bei Wien
Printed in Austria

ISBN 3-475-53042-2

Inhalt

Mein Freund, der Riese

Es gibt viel höhere Berge als ihn, steilere, gefährlichere und wohl auch schönere, aber keiner ist mir jemals so gewaltig erschienen wie er. Das kommt wohl daher, daß er nicht aus anderen Höhenzügen erwächst, wie die meisten seiner Nachbarn, sondern frei und klotzig dasteht, ohne jeden Übergang aus der Ebene schwer und dunkel hinaufwuchtet bis unter die Wolken. Und er ist ein unwirtlicher Berg, ohne Drahtseilbahn und Lift, ohne Schutzhütte, ohne Skiabfahrt, begehbar nur auf schmalen, verwachsenen Steigen, die seit altersher mehr der Gams als der Mensch benutzte. Wo steht er nun, dieser Klotz, dem der Eiseshauch des ersten Schöpfungstages noch immer um die Stirn weht? Im einsamen Kaukasus oder in der wilden Tatra? O nein, mitten im Berchtesgadener Landl steht er, und jeder, der bei Inzell in die Alpenstraße biegt und hineinfährt in den Rupertiwinkel, hat ihn schon einmal gesehen.

Im Schatten dieses Riesen bin ich geboren. Vielleicht war mein erster verstehender Blick auf seine gewaltige Brust gerichtet, und es fiel ein ungeheurer Schrecken in meine Seele, der heute noch nachwirkt und nachzittert. Später wich mir die Furcht, er drohte wohl herab, aber er neigte sich nie vornüber, er stand auf breiten Beinen, unerschütterlich, und all die gefährlichen Schneebretter, die sich auf seinem Haupte sammelten, stürzten und versickerten in seinem Bart, dem Bergwald, der weit herabreicht über Brust und Schenkel. Wohl brüllte im Frühjahr der Donner, wenn die Grundlahnen rollten, aber kein Stäubchen Schnee berührte unser Dach.

Das erste Hirschhorn, an dem ich roch, stammte aus diesem Bergwald, der des Riesen Übermut so gut und sicher fesselte. Mein Vater hatte es heimgebracht vom Dienstgang. Viel später, Jahrzehnte später erst, nach einer Odyssee ins flache Land hinaus, rückte ich dem Riesen mit eigenen Beinen auf den Leib.

Er war nun nicht mehr so unfaßbar groß, wie er sich im Kinderauge gespiegelt hatte, eine Autostraße hatte sich um seine Füße herumgeschlungen, es gab kaum noch einen Punkt im Berg, an dem man nicht ihr Brausen hörte; nur ganz oben, in den Latschen, da war noch tiefe, heilige Stille. Aber seltsam, gerade dieses Gebraus, diese Sprache der Eiligen, Vorüberrasenden, machte seine eigene Ruhe und Gelassenheit erst richtig spürbar. Da stand man dann oben an der alten Krüppelföhre über den gewaltigen Steilhängen, die »Öfen« heißen, und sah hinunter auf die Straße. Wie Ameisen krabbelten die Autos dahin, ziellos, sinnlos. Und hier oben wuchs der Hirschbart an den Bäumen, glänzte das Pech an der Rinde, schwang der große heilige Rabe seine Flügel; da eilte nichts fort, da blieb alles da, war gut, war still, war treu.

Fast ein halbes Leben lang habe ich immer wieder meinen Riesen besucht, Bergstock in der Faust, Hartwurst und Tee im Rucksack. Habe ihm manches Geheimnis abgeluchst im Laufe der Zeit. Habe die Gamsrudel entdeckt, die auf den schattigen Terrassen des nordwestlichen Gehänges lagerten, und auch den beliebten Brunftboden, zwischen Latschen und Strauchbuchen auf dem Südsattel.

Hier hat der Wirtsschorsch sein Gamshüttl stehen, ein winziges Kastell für den Eigengebrauch, gerade groß genug, daß ein Mannsbild die Beine ausstrecken kann. Hier sucht er, der unter vielen Menschen zu leben gezwungen ist, Einsamkeit und Bewährung. Ein steiler, ausgesetzter Anstieg, droben ein harter Strohsack, zwei Decken, Kanonenofen, Teller, Tasse, karge Funzel, da zieht die Ruhe ein, da fallen die Nichtigkeiten ab wie lästige Läuse. Und im November, wenn Schnee fällt, schleicht einer frühmorgens aus der Tür, die Stille erschlägt ihn fast im ersten Augenblick, dann aber stapft er los, so frei, so stark, so wild wie ein Urmensch, und dann schallt der Schuß weit übers Land hinaus, und aus den Schroffen rollt der Bock wie eine schwarze Kugel herab in den Schnee. Das ist Männerspiel, herrliches, unverfälschtes! Tausend weiche, tote, leere Tage wiegt es auf.

Manchen guten Bartbock schoß der Schorsch auf seiner Jagd, doch nie kam ihm ein Hirsch vors Rohr. Nur weit hinten im flacheren Westsattel, im Staatsrevier, dröhnte ab und zu ein rauher Schrei. Trotzdem war der Schorsch in jeder Hirschbrunft oben in seinem Gamshütterl und spekulierte die Grenze entlang, aber immer umsonst. Das Rotwild blieb im Staatlichen, im Wald. Nur einmal kam dem Unentwegten ein Geweihter. Und sogar ein ganz besonderer. Nämlich der »Enzianhirsch«. Doch das ist eine eigene Geschichte:

Vor einigen Jahren hatte der Schorsch einen Jagdgast zu führen. Gerade noch zur rechten Zeit fiel ihm ein, daß das

Gamshüttl eines wichtigen Ortes entbehrte. Er selbst hatte, wenn's ihn im Bauch zwickte, immer den »Staaden Stoa« aufgesucht, eine Felswand, achtzig Schritt unterhalb der Hütte. Dort ragte, der Brille eines modernen Wasserklosetts vergleichbar, ein krummer, abgewetzter Latschenast hinaus über die Wand, ein zweiter von oben her bot sich als Griff zum Festhalten an. Dort hatte der urwüchsige Mann in kindischem Vergnügen manch belustigende Zielübung veranstaltet, und dabei soll auch einmal, wenn man ihm glauben darf, ein Sommerfrischler, der neugierig und respektlos in den Gamseinständen herumschnüffelte, zu Schaden gekommen sein.

»Wenn er net a weiß's Kappi aufg'habt hätt'«, erzählte er mit breitem Behagen, »nacha hätt' i'n wahrscheinlich gar net troffen. Aber des Kappi is wia a Scheib'n g'wen, da hat's net lang visieren braucht. Herrgott, hat's den g'rissn, wie eahm de Ladung ins G'nack eini is! Nacha hat er an Hupferer to und is in d'Latschen g'sprungen, daß i gmoant hab, er derrennt si', und g'sehng hab i'n nimmer. Ja, da drob'n auf meim Staaden Stoa, da hab i scho viel derlebt. Aber schwindelfrei muaß ma sei, sunst kannt's glei passier'n, daß d' in dein eignen...«

Komm, zwick ab, alter Märchenerzähler, wir müssen weiter in unserer Geschichte! Da also nicht zu erwarten war, daß der Jagdgast des Schorsch Naturverbundenheit teilte und ganz sicher nicht schwindelfrei war, wie die meisten Herren aus dem Flachland, zimmerte der Schorsch seitlich der Hütte, in schicklicher Entfernung, ein »Schießhäusl«. Schießhäusl im doppelten Sinn, denn besser als von der Hütte aus übersah man von hier den freien Lahner, auf dem oftmals auch tagsüber die Gams

ästen. Das Platzl war so gut, daß der Schorsch später auf seinen geliebten Staaden Stoa ganz verzichtete und sich lieber auf dem bequemen Sitzbrett des Schießhäusls breitmachte, wobei er nie vergaß, den Stutzen mitzunehmen. Und tatsächlich hatte er einmal mitten in seiner »Sitzung« einen starken Gamsbock erlegt. »So a Drückjagd is was kommods«, schwärmte er später vor seinen Gästen und stand nicht an, das Geschehen, begleitet von urwüchsigen Gesten und Tönen, zu schildern.

Und wieder einmal saß der Schorsch auf seinem Hochthron. Die Hirschbrunft war fast zu Ende, keine Fährte, kein Zeichen von Wild, wie üblich. Trotzdem stand der Stutzen in gewohnter Weise griffbereit neben ihm. Er langte zum Reichenhaller Tagblatt, die Viehpreise zu studieren, da schrie oben in den Latschen ein Hirsch! Das war noch nie dagewesen all die Jahre, und der Schorsch fuchtelte in höchster Erregung nach seinem Gewehr und schob den Lauf durchs ausgeschnittene Herz der Häusltür. Und noch einmal schrie der Geweihte mit tiefer Stimme, der Schorsch stach ein, verhielt den Schnauferer, und da rührten sich oben die Latschen. Jetzt … jubelte es in des Jägers Brust, da teilte sich das Krummholz, und heraus trat mit breitem Grinsen der staatliche Berufsjäger und feixte herab:

»Druck ab, Schorsch, so a Hirsch kimmt dir des Jahr nimmer!«

In maßloser Enttäuschung ließ der Schorsch seinen Stutzen sinken und brüllte, als er sich von seinem Schrecken erholt hatte, mit hochrotem Schädel zurück:

»An Staatshirsch derschieß i net, und scho gar koan, der was schreit wie a verirrt's Lampi!«

Eine Flasche Enzianschnaps war das Schweigegeld, das der Schorsch zu entrichten für angebracht hielt. Als sie geleert war, standen die beiden Jäger schwankend vor der kleinen Hütte und röhrten gemeinsam in die Nacht hinaus, daß man's hinunter hörte bis ins kleine Dorf am Fuße des Bergs.

Seither hat der Schorsch sein Stutzerl nie mehr mit zur »Sitzung« genommen, und als zwei Jahre später, wieder gegen Ende der Brunft, oben in den Latschen ein Hirsch röhrte, da ließ er sich nicht aus der Ruhe bringen, studierte gelassen seine Zeitung und murmelte: »Den Hirsch, den kenn i, den dürscht auf an Enzian!«

Und er stieß mit dem Fuß die Häusltür auf, den alten Freund zu begrüßen.

Im selben Augenblick gefror ihm das Blut in den Adern, denn oben am Weg, in nicht mehr als hundert Schritt Entfernung, stand ein guter, alter Eissprossenzehner mit grobem, weit ausgelegtem Geweih und äugte mit langem Hals herab auf das Donnerhäusl.

Ganz schwitzige Hände bekam der Schorsch, der Schüttelfrost fuhr ihm von unten herauf durch den ganzen Körper, aber es half nichts, der Stutzen hing in der Hütte, und der Hirsch zog, nachdem er sich noch einmal wie zum Hohn breitlings hinpostiert hatte, ungeschoren hinüber in die Strauchbuchen im östlichen Gehäng. Ein Riesensprung zur Hütte, den Stutzen geangelt und hinterher war eins, aber der Hirsch war fort, versunken im unendlichen Berg.

Aus! Gar! O ich Rindviech!

Schweißgebadet kam der Schorsch in der Hütte an und fiel über die Enzianflasche her, die er stets mit sich führte, ein unerhofftes Jagdglück herzhaft zu feiern; soff, bis er unter dem Tisch lag, und pfauchte und grohnte dabei fortgesetzt:

»Mein Lebenshirsch ... mein Lebenshirsch ... der Saujager, der hinterfotzig' ... derschießn tua i'n ... mei Büchs her ... wo is mei Büchs!« Und dann röchelte er in den Schlaf hinüber und wachte am nächsten Morgen mit brummendem Schädel doppelt demoralisiert auf.

Oben aber, am Steig, stand klotzig und breit die Hirschfährte. Ein Suchender oder vielleicht ein Abgeschlagener hatte sich ins Gamsland verirrt, ein Glücksfall, der niemals wiederkehren würde. Geschlagen, vernichtet floh der Schorsch aus seinem Berg.

Soweit die Geschichte vom »Enzianhirsch«, die sich zutrug vor vielen Jahren auf meines Riesen breitem Buckel.

Nun, sehr rotwildfreundlich ist der Riese nirgends, dazu ist er zu steilwandig, zu dünnwaldig; seine Gams, die liebt er, gibt er überall ruhigen Einstand, Äsung im Winter an den Lawinenhängen und Schatten im Sommer im riesigen, wilddurchfurchten Nordhang. Nur ein kleines Rudel Rotwild lebt im Westen des Berges, kommt von der Nordflanke herüber und zieht des Nachts hinab in die Sellarnalm, früh, längst vor Morgengrauen, wieder zurück. Fährte, Suhle, Schlagstelle, Brunftbett ist alles, was der Jäger sieht, der in der Scharnbachstube oder in der Sellarnhütte haust.

Guter Riese, wie herrlich schützt du der Berge kostbarstes Wild!

Aber du züchtigst es auch! Im Sommer mit Fliegen- und Bremsenschwärmen, mit Wolken giftigen Geschmeißes, im Winter mit der Eispeitsche, mit Lawinendonner, mit uferlosen Schneemauern, im Herbst mit der Unrast des Fortpflanzungstriebs, im Frühsommer mit Schmerzen und Wehen, bis endlich das Kalb naß und armselig im steilen Grashang liegt. Nur der Frühling ist wirklich gut, junges Gras und Blatt, weicher, kühler Wind, und nirgends eine Jägerspur. Zwei Monate, nicht mehr, hat das Bergwild einen echten Frieden, die anderen zehn sind Kampf ums Überleben.

In diesen zwei Monaten, im Mai und Juni, hat der rauhe Riese eine samtene Brust. Nie vergesse ich den »Schnepfenabend« in der Sellarn: Jäger Wastl, meine Frau und ich, jeder in seinen Lodenmantel gehüllt, zusammengedrängt unter einer riesigen Fichte unten im Almgrund, zusammengewachsen in langen Jahren gemeinsamer Erlebnisse und doch jeder für sich allein in diesem Augenblick, die Schnepfe als Vorwand, das Auge auf das Herz des Riesen gerichtet, die Sellarn, die blutrot leuchtete von der Frühjahrsheide.

Die Schnepfe strich nicht, wie erleichtert lehnte der Jäger die Büchsflinte an den Baum, es war nichts mehr zu holen, aber die Sellarn, die selige, ureinsame, holte uns.

Wie viele Ringdrosseln sangen, ich weiß es nicht. Erst nur eine, dann zwei, dann ein Dutzend, dann sang der Wald um uns, des Riesen Herz leuchtete, pulste, blutete dunkelrot, der Drosselgesang war zu einem einzigen überirdischen, sprengenden Ton geworden, es war nicht mehr die gewohnte Welt, die uns umgab, Paradiesesfriede fächelte um unsere Stirnen. Dunkle Nacht war's, als wir am Lenzenkaser vorbei hinüber zur Hütte gingen, nein, träumten.

Ein gleiches Mal packte uns die Sellarn zur Hirschbrunft. Wir saßen nebeneinander, Wastl und ich, auf der mächtigen Kanzel am Rande der Alm. Drüben, im Mitter berg, schrien die Hirsche wie verrückt. Vor uns, um uns war Stille. Dunkel wurde des Riesen Herz, müde, steinalt schien es. Da schrie, weit oben im Wald, plötzlich ein Hirsch. Schrie ein einziges Mal nur, ungeheuer tief, ein Löwenschrei, der drohend über die schwarzen Baumwipfel auf uns herniederrollte.

»Des is' der Guate!« flüsterte Freund Wastl aufgeregt und starrte durch sein Glas hinauf zum Waldrand, aber nirgends im weiten Rund war ein Stück Wild zu sehen.

»Der Guate«, ja, immer ist der große Unbekannte, der Sagenhafte, der Legendäre dieses Reviers im Bereich der Sellarn gestanden und immer starb er den Greisentod, den Schneetod weit oben in den Latschen. Nie aber auch war ein Beleg, ein Beweisstück in des Jägers Hand gelangt, nur Kolkrabe, Adler und Fuchs wußten um das letzte Lager. So wurde der Sellarnhirsch zur mystischen Gestalt, an die schließlich nur noch wir »Riesenkinder« glaubten und auch nur dann, wenn in der grabdunklen Oktobernacht, nach einem Jahr des Schweigens, der gewaltige Löwenschrei urplötzlich herabdonnerte auf die einsame Alm.

Das Rotwild dieses Berges ging an keinen Futterstadel. Im Winter zog es wie die Gams, bloß ein Stockwerk tiefer, in das Südgehänge, und schlug sich an den aperen Lawinenhängen durch die harte Zeit. Abwurfstangen gab es nicht, wer hätte sie in diesem ungeheuren Gelände auch gefunden? Man mochte allmählich lächeln über des Jägers alljährlichen Ausruf: »Des is' der Guate!« Wenn nicht doch einmal ein Schuß gefallen wäre in diesem Berg, nicht in der Sellarn, aber weiter hinten, an der Schattenseite, und als der glückliche Schütze sich niederbeugte zum Verendeten, da blieb ihm das Herz stehen: seit mehr als 30 Jahren war im ganzen Revier kein Hirsch mehr geschossen worden, der solch schweres, gewaltiges Geweih getragen. Es schien, als hätte der Riese ihn nur freigegeben dem Jäger Wastl zulieb, auf daß das Geläster über sein wundergläubiges »Des is' der Guate« endlich verstumme.

Glückliche, zeitlose Stunden verlebte ich in der Wurz, einer winzigen Alm in der Südwestflanke des Berges. Früher stand ein Kaser in der Wurz, Jungrinder grasten acht Wochen lang auf dem kleinen grünen Flecken hoch über der Scheyerlwand; der Eintrieb erfolgte von oben, er war mühselig und halsbrecherisch. Kein Mensch würde heutzutage solche Mühsal und Gefahr auf sich nehmen.

Hier oben war das Paradies, das leibhaftige, niemals habe ich eine Menschenseele hier angetroffen. Aber saß man lange genug, bei gutem Wind, dann stand plötzlich, wie vom Himmel gefallen, ein Stück Gamswild im Almangerl, in dem noch ein seltsam dunkles und dichtes Gras wuchs.

Später wurde der alte Kaser abgerissen, die Holzknechte schlugen eine breite Schneise hinunter in den Wald, Boschen wurden gepflanzt, der Almboden verwilderte gänzlich, die Steinmauer rund ums Angerl fiel in sich zusammen, die Gams blieben aus und der Zauber der Wurz war dahin.

Auch die gute alte Sellarn ist nun tot. Ich habe diese Alm schon geliebt, als ich sie noch gar nicht gesehen hatte. Nur wegen ihres Namens, der wohltuend und fremdartig zugleich in den Ohren klang. Es war die letzte der betriebenen Almen in diesem Berg. Sie war des Riesen Herz, nicht nur symbolisch, tatsächlich hatte die Almfläche die Form eines großen Herzens. Erst später, mit zunehmendem Einbruch des Waldes, verwischte sich diese eigenartige Begrenzungslinie, die sicher niemals geplant worden war.

Unten, im flacheren Teilstück, auf einer Zunge festen Bodens, inmitten der moorigen Senke, steht der Lenzenkaser. Die menschliche Hand hat ihn verlassen, die Zeit, die unerbittliche, zerstörende, hat ihre Pranke nach ihm ausgestreckt. Immer schon wirkte er ein wenig kalt dort unten in der Schattenlage, jetzt, wo die Fäulnis in den Balken knistert, mag einem fast vor ihm gruseln.

Ich möcht ihn aber so nicht betrachten, denn vor sechs oder sieben Jahren trank ich bei der Lenzenkath noch meine Buttermilch, und obwohl dieser Berg noch nie von Menschen überlaufen war, trat doch im Laufe des Almsommers mancher Gast durch die niedrige Kasertür.

Einer davon blieb mir besonders im Gedächtnis, ein halbnackter, braungebrannter Mann, der mit Krücken alle Berge dieser Gegend bestieg. Soweit ich mich erinnere, war er Ingenieur von Beruf. Aber wohl nur von Nebenberuf, hauptberuflich schien er mir Berggeist, Wurzelmandl, Steinmensch zu sein. Wild wallte sein weißer Bart die nackte Brust herunter, verknotete, verwurzelte sich mit einem dichten, grauen, gekräuselten Brustfell; auch am Rücken wuchsen, wucherten Büschel von Haaren. Die Beine waren dünn, schlaff und lahm, aber an den Schultern ballten sich gewaltige Muskelpakete, und aus den hellen Augen blitzte eine fast versengende Willenskraft.

Dieser Mann, der mir geistvoll und gebildet erschien, ignorierte die Zivilisation auf fast herausfordernde Weise. Bei den Jägern war er gefürchtet, da er vor Wildeinständen nicht haltmachte und sich durch die steilsten Latschenhänge kämpfte, mit seinen Krücken einer riesigen Spinne vergleichbar, die keine Widerstände kennt. In ständiger Selbstüberwindung war er zum Räuber geworden, zum Augenräuber wenigstens, der keine Heiligtümer mehr achtete, aber gewiß hatte auch er seine inwendige Stunde, erlauschte seine »Eroica« irgendwo im einsamsten Berg mit wildwogendem Brustkorb, den nackten Rücken im Gras, den Blick hinaufgerichtet in das bleiche Gerippe eines uralten Wetterbaumes.

Noch so ein Verächter aller Konventionen und Beengungen ging vor Jahrzehnten hier um. Splitternackt zumeist, mit sehnigem, indianerfarbigem Körper, an den flaxigen Beinen schwere Genagelte, hinten den grünen Rucksack mit breitem speckigem Tragriemen, die abgewetzte Büchsflinte im Kreuz, so pirschte er im Sommer durch den Berg, ein adeliger, wohlangesehener Mann, Forstmeister von Beruf, Chef des Reviers, Schrecken der Beerenweiber und Sommerfrischlerinnen.

Ich weiß nicht, wie viele Jahre er sein sonderbares Wesen trieb, das mit Exhibition gewiß nichts gemeinsam hatte, aber doch mitunter Ärgernis erregte, ich weiß nur, daß er anders pirschte und anders jagte als man das heute tut, daß er seine Hirsche nicht über Täler hinweg mit Lotterieschüssen herunterholte, sondern sie wie ein Schweißhund stellte. Wahrscheinlich hätte er sich selbst mit der Armbrust das Jägerrecht verdient, vielleicht sogar mit Pfeil und Bogen.

Jäger dieses Typs waren aber wohl auch damals schon eine Seltenheit. Dieser Mann, dem ein einsamer männlicher Tod oben im Berg wohl ein erwünschter und gemäßer Abschluß gewesen wäre, starb ausgerechnet auf belebter Straße. Ein Auto fuhr ihn zusammen, wie zwei Jahre vorher eine alte Schäferin, namens Mena, die lange Pfeifen rauchte und nie einen Weiberrock gesehen. Verwundert, so wird erzählt, sei sie dagestanden und habe sich nicht vom Fleck gerührt, als der schwere Holzwagen auf sie zurollte und sie niederwalzte auf den Asphalt.

So schaffte sich die neue Zeit zwei Originale, die ihrem Rhythmus nicht entsprachen, vom Halse.

Noch eines anderen Mannes erinnere ich mich in diesem Zusammenhang. Er hat den Vorzug, noch zu leben, und dies wohl deshalb, weil er die Zeichen der Zeit erkannte und vom klapprigen Fahrrad auf eine schwere BMW umstieg und nun seinerseits mit vier Zentnern Eisen und 25 Pferdestärken unterm Hintern die dicksten Straßenkreuzer hohnlächelnd hinter sich läßt. Es ist im eigentlichen Sinne auch kein Original, wohl aber ein Mensch mit einer geradezu sagenhaften Robustheit und Anspruchslosigkeit.

Als ich ihn das erstemal traf, lag er oben im Tayern quer über dem Weg und schnarchte. Es war die Mittagsstunde, er hatte am Weg gearbeitet, Wasserrinnen erneuert oder ähnliches. Ein Scherzen Brot, ein Bissen Hartwurst, ein Schluck Quellwasser, dann hatte er sich eingerollt, an Ort und Stelle, mitten auf den Steinen. Zwei Meter weiter nach rechts, und er hätte ein Luxusbett gehabt im weichen Moos, von einer breiten Fichte beschattet. Das waren ihm aber zu viel »Umständ«, und so legte er sich um wie ein Stück Holz, spreizte die Haxen und versperrte mir schnarchend den Weg.

Dieser Mann war ein Meister des Fatalismus in jeder Beziehung. Auf seiner Holzerhütte, die er oft wochenlang mutterseelenallein bewohnte, gab es kein Licht. Nicht einmal einen Kerzenstumpen. Wenn es dunkelte, warf er sich auf die Pritsche, wenn es hell wurde, stand er auf und kochte sich einen Batz aus Wasser, Mehl und Fett, den er als »Muas« bezeichnete. Trotz dieser einseitigen Kost war er kerngesund und hatte Zähne wie ein Pferd. Sein Gesicht war stets krebsrot, obwohl er nie einen Tropfen Alkohol bei sich führte. Diese Röte, hervorgerufen durch zahllose feine Äderchen in seiner Haut, war sein Erkennungszeichen, wie ein Lampion leuchtete einem sein Schädel schon von weitem entgegen.

Der Hias hatte einen Spitznamen, »Herbstei« nannten ihn seine Arbeitskollegen.

Dem war ein ziemlich hundshäuternes Stückl vorausgegangen.

Es war dazumal in der Forstverwaltung eine neue Chemikalie in Gebrauch gekommen, mit deren Hilfe junge Fichtenpflanzungen von dem überall reichlich wuchernden Buchenanflug befreit werden sollten. Die jungen Buchenstämmchen wurden ringsherum angestrichen, und das teuflische Zeug ätzte sich durch die Rinde und unterbrach den Saftstrom. Die Buchen starben ab, und die Anpflanzung hatte wieder Luft.

Der rotgesichtige Hias hatte vor Entdeckung dieses Wundermittels manche Stunde schwitzend und mörderisch fluchend in den glühend heißen Schlägen beim Aushauen der Strauchbuchen verbracht und daher einen rabiaten Haß gegen alles, was Blätter statt Nadeln trug. Jetzt standen in der Holzstube dreißig Kannen »Buchengift« bereit nebst Gebrauchsanweisung und Forstamtsverfügung, betreffend »tunlichst sparsamer und gezielter Anwendung zur Erzielung optimaler Wirkungen usw....«, und der gute Hias zog los mit Kübel und Maurerpinsel und stürzte sich rachsüchtig in die Schläge.

Erst bepinselte er nur das dichte, undurchdringliche Krüppelzeug, unter dem die Fichtenpflanzen schmachteten, dann bestrich er die Jungbuchen, die schon in geschlossenen Horsten standen, dann vergiftete er die Mittelstämme und nahm (»Lauter G'lump! Lauter G'lump!«) den einen und anderen Ahorn und Vogelbeerbaum mit, zuletzt schlich er sich noch an die Überhälter heran, zuerst an die sonnenrissigen, dann an die gesunden, und gab auch ihnen eine »Pris«.

Auf diese Weise pinselte er sich durch den halben Berg, bis die dreißig Kandln leer waren und drei Maurerpinsel ihre Haare verloren hatten.

Die Wirkung war vorerst gleich Null. Nur die Blätter schaukelten seltsam matt und lustlos im Winde. Aber einige Wochen später kräuselte sich plötzlich das Laub, vertrocknete und vergilbte, und das setzte sich fort am ganzen Berg, überall wo der Hias mit seinem giftgetränkten Maurerpinsel hingekommen war.

Ja, der Herbst war eingezogen in den Berg, und das Gespenstische und Geisterhafte daran war, daß ringsherum noch Sommer herrschte, daß alles noch grünte und blühte und in den Bäumen die Vögel zwitscherten.

Vor diesem seinem Werk erschrak der Hias dann selber, und obendrein bekam er eine »Pfunds-Nasen« wegen der »tunlichst sparsamen und gezielten Anwendung«.

Inzwischen hat der Berg den groben Eingriff längst überstanden, aber der Spitzname »Herbstei« ist an dem Hias haften geblieben.

Darüber habe ich nun fast vergessen, daß ich vom Lenzenkaser erzählte, der jetzt einsam und still unten auf dem Almgrund steht. Wehmut erfaßte mich noch immer, wenn ich an ihm vorbeiging, aber auch gleichzeitig eine seltsame Neugierde, die mich den Fortgang des Verfalls in allen Einzelheiten registrieren ließ.

Lange war die Kasertür versperrt, die Fensterläden geschlossen, es war, als ob die alte brave Hütte auf die Wiederkehr der Sennerin wartete. Dann drückte der Schnee die Stalltür ein, der Sturm fuhr in den Raum und wirbelte die Fensterläden auseinander, das Dach hob sich auf, der Regen schwemmte über den Fußboden, das Werk der Zerstörung begann.

Nun hielt auch ich mich nicht länger an das alte Gesetz gebunden, wonach das Haus eine Burg sei, die ungeladen zu betreten der Anstand verbietet, und ich kroch jedes Jahr wohl ein-, zweimal durchs offene Fenster ins Innere. Kalte Moderluft fuhr mir entgegen, auf dem Kreister verfaulte eine alte Wolldecke, und auf den Dielenbrettern wucherte der Schwamm. Unerbittlich und widerlich fraß sich der Verfall durch die hölzerne Burg, die Generationen beherbergt hatte, riß die großen, hellen, papierenen Wandschoner mit den knallbunten, naiven Wilderermotiven von den Wänden und überzog den eisernen Herd mit dickem, rotem Rost.

Da habe ich den Weihbrunnkessel aus der verfallenden, versinkenden Hütte herausgetragen und nach und nach auch die kleinen Votivtafeln mit den frommen, rührend einfältigen Sprüchen.

Jetzt tunkt meine kleine Tochter zu Haus ihren Finger in die buntbemalte Porzellanschale, und vielleicht geht ihr dabei im Unbewußten etwas von der herzhaften, ehrlichen Frömmigkeit ein, die in der Welt der Almen einstmals das Leben bestimmte.

Eine Almhütte verfällt, ein Zeitabschnitt rutscht hinunter in die Vergangenheit, mein dunkler Riese aber schlägt gelassen seine Baumharfe und läßt auf seinem kahlen, runden Schädel die Spielhähne tanzen.

Solisten sind sie ja samt und sonders, die starken blaugrünschillernden Spielhähne der Berge, eifersüchtige rabiate Einzelgänger. Wer die brodelnden kochenden Moorbalzen kennt, ist enttäuscht, bis ihm dann in grauer Frühe, kilometerweit, aus unendlichen Latschenmeeren ein kleiner, koboldischer Laut entgegenkullert, ein glucksendes, unterdrücktes Lachen, aus breiter Bergbrust heraus, das der Wind einmal laut, einmal leise über die Bäume trägt.

Zwei Hähne, mehr nicht, machen sich im Frühjahr auf dem Gipfel des Riesen breit. Der eine hält den Vorgipfel, der andere den Hauptgipfel besetzt. Schießt der Schorsch oder sein Gast einen weg, streicht noch zur gleichen Stunde ein Nachfolger heran und schwingt sich auf den freigewordenen, zitternden Ast.

So blieb das kleine Schneidhahnorchester bis zum heutigen Tag erhalten. Aber mehr als zwei Bläser sind's ihrer nie gewesen.

Bis weit in den Vorsommer grugeln die kleinen Hähne, und nicht selten noch im Herbst in das Schreien der Hirsche hinein. Erst der Schneesturm löscht die kleinen Stimmen aus. Kommt aber das Frühjahr, gluckert es wieder auf, wie der Bergbach unter dem Schnee.

»Schönerl«

Die Bundeswehr hatte sich angeboten, Heu einzufliegen ins tief verschneite Bergrevier. Kostenlos, sozusagen übungshalber und wohl auch zur Aufpolierung des immer noch ein wenig angeschlagenen Rufes. Der Forstamtschef hatte begeistert zugegriffen, und am nächsten Morgen schon landete ein schwerer, grünbrauner, libellenbeflügelter Lastenträger mit drei Binkeln Heu im Bauch auf der kleinen Wiese vor des Jägers Haus. Wer sonst als der Berufsjäger kannte das Revier, wußte, wo die abgesprengten Rudel standen? Also ward er abkommandiert zu Mitflug und Einweisung des Piloten.

Vitus war von jeher ein verschworener Feind der neuzeitlichen Technik. Seine eigenen Haxen waren ihm gut und schnell genug zur eigenen Fortbewegung. Als daher der Motor aufheulte und die riesigen Windflügel zu rotieren begannen, wurde dem Vitus zum erstenmal in seinem Leben bewußt, was Angst war. Er klammerte sich krampfhaft an seinen Sitz und spürte, wie ihm der Schweiß aus allen Poren brach. Der Pilot, ein junger Feldwebel, hatte seinen Spaß an des urwüchsigen Mannes Ängsten und jagte den riesigen Vogel mit Gas und Steuerknüppel in artistischer Manier um die Hänge und Schroffen des Reviers. In der Brandstatt kollerte der erste Heubinkel hinaus, am Moserlahner der zweite, und der dritte fiel mitten in ein kleines Rudel, das fast im Schnee vergraben am Lärcheck stand. Während das Wild sich dankbar auf das Futter stürzte, senkte der Vitus in unwiderstehlichem Drang sein braunlockiges Haupt und füllte den alten, guten Berghut, den getreuen Begleiter auf tausend Pirschen, bis zum Rand mit dem säuerlichen Inhalt seines rebellierenden Pansens.

»Des is für d' Füchs«, erklärte er mit schwachem Lächeln dem grinsenden Piloten und warf das teure Stück mit tiefem Seufzen zur Luke hinaus.

Beim Preisschießen, drei Wochen später, zu dem neben den Jägern und der Forstbeamtenschaft auch die Männer der Hubschrauberstaffel eingeladen waren, mußte der Vitus einiges über sich ergehen lassen:

»Gar nimmer zu kennen is' er, der Vitus, mit sei'm neuen Hut.«

»Zu was jetzt der an neuen Hut aufhat? Eppa weil er mit am Hubschrauber g'flogen is?«

»Ja, der Vitus, des is a Jager! Der laßt de Füchs aa was zuakommen.«

»Wenn aber jetzt der Hut mit dem Fuchsfutter an am Baam hängen bliebn is, was nacha?«

»Nacha hat der Baam an Hut auf und d' Füchs ham nix.«

So ging das Gefrozzel fort, bis es dem Vitus zu dumm wurde und er dem Nächstbesten mit einem Schlag der flachen Hand den Hut eindrückte. Das war nach alter Erfahrung das Zeichen zum Einhalt. Noch ein Kicherer, dann sprang das Kragenknöpferl vom dicken, geröteten Hals, und Sekunden später war der Saal leer. Nicht oft, aber hin und wieder gebrauchte der Bärenmensch seine

Muskeln, und wenn er seine Hämmer erhob zur Amok-schlacht, dann blieb kein Auge trocken.

Dies bedenkend, nahm ihn der Chef am Ärmel:

»Also, schieß ma eins aus, Vitus?«

Und friedfertig folgte ihm der Jäger zum Schießstand.

Aber begleiten wir nun den Jäger Vitus Strell bei einem winterlichen Reviergang. Nach steilem Aufstieg war er inzwischen an der Gelben Wand angelangt. Einmal war hier, als er den Wandsteig schon halb überquert, eine Staublawine abgefahren, hatte ihm den Bergstock aus der Hand gerissen, und nur ein schneller Sprung unter den vorspringenden Fels hatte ihn und den Hund in letzter Sekunde gerettet. Ein andermal, im Spätwinter, war ur-plötzlich vor ihm ein Stück Weg abgebrochen, und im vorigen Frühjahr war ein tonnenschwerer Eiszapfen aus dem Gewänd gefallen und drei Meter hinter ihm wie eine Bombe zerplatzt.

Vorsichtig querte er die heikle Stelle. Dann gönnte er sich eine Rast. Dabei fiel sein Blick hinunter zum Rötlbach, der dumpf heraufrauschte. Er stutzte und riß das Glas an die Augen: Am gegenüberliegenden Steillahner standen, eng beieinander, vier Stück Rotwild, bewegungslos, bis zum Hals im Schnee – eingemauert, gefangen. Altstuck, Spießhirsch, Schmalstuck und Kalb.

»De san hin«, durchfuhr es den Jäger, »de kommen nimmer außer.«

Tatsächlich war die Lage des kleinen Rudels fast hoff-nungslos: oben der Steilhang mit metertiefem Schnee bedeckt, unten der Bach, ein Gefängnis, ein Schneegrab, in das von allen Seiten die Lawinen stürzten. Es war, als wäre das Wild sich seiner ausweglosen Lage bewußt, bewegungslos verharrte es, die Äser nur ab und zu apathisch in den Schnee tupfend.

Hier war der Jäger machtlos. Das Wild nicht noch erschrecken, nicht locker machen, das war das Gebot der Stunde. Vielleicht hielt das Rudel aus, bis der Schnee sich festigte und fand dann einen Auswechsel nach oben.

Langsam, das Rudel unausgesetzt beobachtend, querte der Jäger die ausgesetzte Stelle hinüber in den Holzauer Wald, wo der Futterstadel stand. Er öffnete die Stadeltür, nahm die Heugabel und verteilte das Rauhfutter. Als die Raufen voll waren, kam das Saftfutter an die Reihe und dann die Leckerbissen. Er hatte sich nicht abgenutzt bei diesem Tun in all den Jahren, sein Herz fütterte mit, wenngleich er die Handgriffe automatisch tat und die Rationen längst nicht mehr maß, sondern auswendig wußte. Dann hockte er sich, eine Wolldecke über den Knien, an seine Beobachtungsluke droben unter dem Dach. Hier hatte er ungezählte Stunden seines Lebens verbracht und mehr über das Rotwild erfahren als auf allen Pirschen. Immer wieder überraschte es ihn, wie lautlos und plötzlich das Wild da war. Lange nichts, dann wehte eine Schneefahne durchs Gestämm, ein kleiner weißer Ball rollte herab aus dem Hang, eine Fessel knackte, ein Atemstoß, dann stand, wie hingezaubert, das erste Stück an der Raufe. Und eh er's ansprach, wogte der Futterplatz von braunen Leibern, Heu knisterte, Äser mahlten, Atemdampf stieg aus den Nüstern, sonst kein Laut. Und hatte sich der Vitus genug gesehen und war endlich auch der alte Achter vom Kohlschlag erschienen und knabberte an seiner »Sonderration«, dann klopfte er laut hörbar an einem Balken seine Pfeife aus. Das war das

Zeichen, daß er sich zu entfernen wünschte. Und seltsamerweise war es fast immer ein Spießhirsch, der zuerst aufwarf, sicherte, und dann erst gab irgendeine alte Tante das Warnsignal, ein grabtiefes »Wupp... Wupp...«, und so lautlos und gespenstisch das Rudel erschienen war, so war es auch wieder fort. Wenn er sich dann umsah an der Gelben Wand, dann war es wiederum zumeist ein Spießer, der als erster vertraut an der Raufe stand. Es schien, als hätten die jungen Burschen nicht nur die schärfsten Sinne, sondern auch die besseren Nerven.

Heute blieb der Vitus nicht lange hocken. War nicht bei der Sache. Rauchte seine Pfeife nicht aus. Dachte an die Abgesprengten, Verlorenen drunten im Rötlbachlahner. Als er die Wand querte, stand das Rudel noch immer am gleichen Platz. Schweren Herzens fuhr er zu Tal. Der Himmel war schwarz. Der Wind blies aus Nordwest. Wenn jetzt Schnee kam, war das Ende nicht mehr weit.

Am nächsten Tag leichter Schneefall. Mittag aufklarend. Rudel unverändert. Nein, nicht ganz. Das Kalb jetzt weiter unten. Offenbar entkräftet und abgerutscht.

Wieder ein Tag später. Dumpf schlug dem Vitus das Herz, als er zur Wand kam. Ein Blick hinunter, dann jubelte er auf, gab dem Hund einen Schmatz auf die Schnauze.

»Haut scho, Kampl, schau obi, jetzt ham sie's doch no' g'schafft!«

Tatsächlich führte eine tiefe, ausgepflügte Fährte schräg aus dem Lahner heraus hinüber in den lichten Wald.

Das war die Rettung.

Vitus zündete sich eine Pfeife an. Da verdüsterte sich sein Gesicht. Im Graben: was war das? Glas an die Augen. Das

Kalb! Hastig zog er das Spektiv aus und wußte alles: abgelahnt … aus … armer Teufel! Da bewegte sich das Kalb. Rührte einen Lauf, hob das Haupt, ganz schwach. Dem Jäger fuhr es heiß ins Herz. Hinunterschießen? Das wäre die einfachste Lösung. Aber einfache Lösungen hat der Strell nie geliebt. Er überlegte. Den Hansei holen mit Stricken und dem leichten Hörndlschlitten? Dann war's vielleicht schon zu spät. Er hantelte die Büchse vom Rücken. Legte am Bergstock an. Zielte. Setzte ab. Sah dem Hund in die Augen. »Kampl, was sagst du, soll i's probiern?« Und sprang, ohne eine Antwort abzuwarten, mit einem Riesensatz hinunter in den Hang.

Der Schnee war fest. Das machte ihm Hoffnung. In flachen Serpentinen trat er eine Spur hinab, überlegte dabei schon den Rückweg, vielleicht ging's…

Vitus Strell stand, gedeckt durch einen Baum, vor der armen Kreatur. Da war keine Flucht mehr zu befürchten, das Kalb war entkräftet und teilnahmslos, aber offenbar unverletzt. Vorsichtig ging er hin. Das kleine Haupt, struppig, schneeüberpudert, wendete sich langsam zu ihm her. Ein Ruck ging durch den Körper, die Hinterläufe schlegelten, da war der Strell schon bei ihm, riß die Rucksackschnur aus den Ösen und fesselte mit schnellen Griffen Vorder- und Hinterläufe. Die Zeit drängte, er überlegte nicht lang, fuhr mit der Hand unter dem welligen Bauch hindurch, schob die Schulter ein, ruckte hoch, und schon hatte er das Kalb auf der Achsel. Die Füße sanken ein, die Oberschenkel zitterten, als er die ersten Schritte tat.

Zwei Stunden später lag das Kalb auf einer dicken Heuunterlage in einem eigenen Verschlag neben dem

»Kälberstall«, vor sich ein ausgesuchtes Menü aus bestem Kleeheu, Rübenschnitzeln und zerquetschten Kastanien. Und vor dem Kalb stand Vitus, der Jäger, mit wogendem Brustkasten und schnaufte:

»Des hätt' ma g'schafft. Des andere is jetzt dei Sach.«

Dann füllte er ringsherum die Raufen und Tröge und stieg ab. Das Kalb blieb allein. Er hatte wenig Hoffnung.

Am nächsten Tag der erste Blick in den Verschlag. Das Kalb lebte noch. Aber das Futter war unberührt.

Abwarten.

Es war ein Wildkalb. Ein schwaches, nicht recht gediehenes Kalb. »Wenn i di in der Schußzeit g'sehng hätt', hätt' i di derschossen«, murmelte der Vitus. »Und jetzt fehlt net viel, und i legat dir a Wärmflaschen unter dei Wamperl nei. Grad gut, daß man de Viecher net allerweil von der Näh sieght, da taat's oan schlauchn mit'm Abschußplan. Wia hoaßt nacha du kloans Wuzerl, wenn i frag'n derf?«

Natürlich schwieg das Tier. Hatte nicht einmal die Kraft zu einem dankbaren oder erstaunten Blick.

Vitus stieg sinnierend zu Tal. Eh er ins Haus trat, war ihm ein Name eingefallen, den er dem Kalb geben wollte. Vielleicht half ihm das auf die Läuf, vielleicht spürte es die Zärtlichkeit, die in diesem Namen lag – Schönerl.

Früh war er schon droben am nächsten Tag. Viel früher als sonst. Schönerl?

Wie hüpfte dem Vitus das Herz. Das Haupt war in der Höhe, die Lauscher zitterten, aus dem Äser hing – ein Heuhalm!

Schönerl!

Pfeifend stieg der Vitus ab.

Als er tags drauf bei der krummen Lärch um die Ecke

bog, stand das Kalb auf den Läufen. Das Futter war verspeist. Die Schlacht war gewonnen.

War sie wirklich gewonnen?

Das kleine Rudel vom Rötlbachlahner, zu dem die Mutter des Kalbes gehörte, war aller Wahrscheinlichkeit nach weiter hinausgezogen in die Südhänge, vielleicht sogar über die Grenze hinüber zum Kasenbacher. Das Schönerl war verwaist. Daß eines der Futterstadelstuck das Kalb an Kindesstatt annehmen würde, war nach alter Erfahrung nicht zu erwarten. Das Kalb bleibt ein Fremdling im Rudel, wird abgeschlagen und verstoßen. Darum gilt es als unverzeihliche jagdliche Todsünde, das führende Stuck von seinem Kalb wegzuschießen. »Schaun ma halt, wie's weitergeht«, sagte der Strell und schob dem Schönerl eine Handvoll getrockneter Apfelschnitzel durch den Verschlag.

Tagtäglich brachte der Jäger nun irgendeine Leckerei mit herauf. Und Schönerl räumte auf. Die struppige Decke glättete sich, die Lichter funkelten wieder. Und eines Tages rumpelte Schönerl in seinem Käfig herum und machte Bocksprünge. Da öffnete der Jäger den Verschlag. Das Kalb machte eine kurze Flucht und blieb stehen. Nach einer Weile trollte es wieder in seinen Stall. Freiheit ist gut. Apfelsinenschalen sind besser. Es dauerte nicht lange, dann nahm Schönerl dem Vitus das Futter aus dem Handteller. Wie schön das kitzelte, wie wohl das tat. Dem Strell waren Kinder versagt geblieben. Jetzt stiegen väterliche Gefühle in ihm auf, und er bekämpfte sie nur schwach.

Das Kalb bewegte sich nun frei am Futterstadel. Aber wenn das Rudel kam und gierig an die Raufen stürzte,

flüchtete es zurück in seine kleine Festung. Es führte ein eigenes Leben, isolierte sich selbst, vergaß die Mutter und wartete auf den vierschrötigen Kerl, der pünktlich um ein Uhr mittags um die krumme Lärche bog, in die Tasche griff und »Schönerl!« rief. Ja, der Strell war Vater geworden. Vater einer überaus gesunden und gefräßigen Tochter.

Eines Tages hielt Schönerl es nicht mehr und wartete schon unten auf dem Weg, als der Jäger kam. Dem frohlockte das Herz, und die Augen wurden ihm wäßrig, als Schönerl die weiche, feuchte Muffel in seinen Handteller senkte. Täglich kam das Schönerl ihm nun ein Stückl weiter entgegen, es war völlig zahm geworden. Mit Sorge dachte der Jäger an die Zukunft. Die Südhänge waren schon schneefrei, das Rudel kam nur noch des Nachts zu kurzem Besuch an die Fütterung.

Bald würde es ganz ausbleiben.

Was dann?

Inzwischen hatte der Chef von dem zahmen Wildkalb am Holzauer Futterstadel Wind gekriegt. Samt Gattin und zwei Töchtern kam er eines Tages herauf zur Besichtigung. Die Frau Forstmeister war begeistert, die Töchter Feuer und Flamme. Wozu hat man einen großen Garten mit schattigen Bäumen, und ein Unterstand ist auch kein Problem.

Und damit war Schönerls Zukunft gesichert.

Schweren Herzens sah der Vitus seinem Schönerl nach, als es, auf einem Viehwagen verfrachtet, in Richtung Stadt fuhr.

»Pfüat di, Schönerl, i b'such di scho amal.« Ohne Scham wischte sich der sonst so rauhe Mann eine Träne aus dem Auge.

Der Berufsjäger Strell huldigte allezeit dem Spruch: »Gehe nie zu deinem Fürst, wenn du nicht gerufen wirst.« So vergingen fast zwei Jahre, ehe er sein Schönerl wieder sah. Es war ein Wiedersehen, das er sich anders vorgestellt hatte. Und das kam so:

»Beim Forstmeister ham's a Stuck, des is ärger wie a Kettenhund«, erzählte eines Tages der Revierförster Klinger, der oben zitierten Spruch nicht so genau nahm wie der Strell.

Man saß gerade beim Kartln in des Zillwirts kleiner Jagerstube.

Strell horchte auf.

»Was sagst?«

»Des Stuck«, berichtete der Revierförster, »reißt an jeden, der beim Gartentürl einigeht, d'Hosen runter. I red aus Erfahrung.«

»Brauchst ja net einigeh'«, brummte der Strell, »wenn di dei Hosen reut.« Dann nahm er den Förster Klinger scharf in die Augen:

»Is jetzt des a Witz oder is des Schönerl wirklich so a Luada wor'n?«

»Kannst's ja ausprobiern, Vitus«, grinste der Klinger, »vielleicht schleckt's dir's Gsicht ab, hast's ja aufzog'n an Kindsstatt, wie ma hört.«

»De Matz kennt'n Vitus nimmer«, mischte sich der Forstwart Greiner ein.

Vitus warf die Karten auf den Tisch.

»Des möcht i sehg'n!«

»Wett ma, daß s' dir's Hemd ausziahgt?«

Vitus' Gesicht rötete sich:

»Mir net. I fürcht mei Schönerl net.«

»Schönerl«, röhrte der Greiner, »Schönerl sagt er zu der Bißgurrn! Also, was gilt's – gehst nei?«

Strell mit heiligem Ernst:

»Jederzeit!«

»Wennst vom Gartentürl bis zum Hauseingang kommst, ohne daß d'as Fürchten lernst, nacha zahl i an Banzen Edelhell«, feixte der Förster Klinger.

»Und bals eahm d' Hosn ausziahgt, zahlt der Vitus«, bekräftigte der Forstwart Greiner.

Strell hieb die Faust auf den Tisch:

»'s gilt! Morgen gib i euch a Lektion über den Umgang mit Kettenhund'.«

Am nächsten Morgen lehnten am Gartenzaun des Forstamtes ein halbes Dutzend Männer, denen die Gams- und Hirschbärte zunftbewußt und schadenfroh auf den grünen Hüten wachelten. Der Klinger, der Greiner, der Hasenwarter, der Mösl, der Mitterhuber, der Stoiber, lauter Männer, die mit des Forstmeisters »Kettenhund« schon irgendwann einmal eine unliebsame Bekanntschaft gemacht hatten.

Vitus trat gefaßt, doch etwas bleich ans Gartentor. Im Hintergrund unter einer Sitkafichte stand bewegungslos Schönerl, das Rottier, kräftig, hochläufig, glänzend vor Kraft und Gesundheit, und äugte auf die Männer am Gartenzaun.

Vitus öffnete das Tor und stand im Garten.

Schönerl beachtete ihn nicht, sicherte zu den Männern hinüber; die wachelnden, nickenden Gamsbärte hatten es ihm ganz offensichtlich angetan. Strell brachte unterdessen die ersten Meter hinter sich, und die Gesichter am Gartenzaun wurden lang und länger. »De kennt mi«, frohlockte der Strell, «de tut mir nix!«, und er schritt unangefochten dahin. Zehn Meter trennten ihn noch vom Hauseingang, und noch immer äugte das Schönerl wie gebannt zu den Gamsbärten. Ein Sprung noch, dann war die Klinke in des Vitus Hand – die Wette gewonnen. Dieser Sieg jedoch erschien dem grundehrlichen Kerl zu billig. Er verhielt den Schritt, riß den Hut vom Schädel und lachte das Schönerl an:

»Griaß di, Schönerl! I bin's, der Vitus!«

Blitzschnell fuhr das lange, schmale Haupt zu ihm her. Die Lauscher legten sich an, die Lichter wurden starr und groß; es schien, als habe das Tier den Jäger erst jetzt bemerkt.

»Jetzt fliagt s' di glei an, Vitus!« schrie der Klinger, und die Gamsbärte, noch vor Minuten wie in Resignation über die Hutränder hängend, richteten sich erwartungsvoll auf. Schönerl hob den linken Vorderlauf und setzte sich mit steifen Schritten in Bewegung – direkt auf den Jäger zu.

Strell überlegte blitzschnell. Sollte er einen kurzen, feigen Sprint tun und damit sowohl die Hose als auch den Banzen Bier in Sicherheit bringen? Der Greiner hätt's getan, der Mösl auch und der Klinger dreimal. Er sah hinüber zum Gartenzaun. Grinsende Gesichter. Nein! Ein Strell bleibt stehen!

Da war das Stuck schon da, zwei Meter vor ihm, nichts von Erkennen, nichts von Dankbarkeit, ein böses, hinterhältiges, unbefriedigtes Weibsbild, grantig, überfressen, ohne Scheu und Respekt; so scheu das Rotwild draußen im Revier den Menschen flieht, so hysterisch ging diese verhätschelte, verdorbene Stadtpflanze nun auf den Mann los, der ihr einstmals das Leben gerettet. Strell sah wenig Chancen, unbeschädigt davonzukommen, trotzdem machte er einen Versuch, die Kruste der Zeit wegzureißen, Erinnerung zu wecken an damals, als der kleine, runde Wildfang seinen Handteller koste. »Schönerl«, flüsterte er, so zärtlich er konnte, »Schönerl, i bin's, der Vitus, kennst mi denn nimmer?«

Ungerührt und kalt glotzten die Lichter, wie ein Dolch ging die schmale Strichpupille durch den herausquellenden Augapfel. Nie hatte der Jäger in ein so fremdes, kaltes, feindseliges Gesicht geschaut. Es fröstelte ihn. Da stand, eh er zu erneutem Liebeswerben ansetzte, das Stuck plötzlich auf den Hinterläufen, der helle Bauch blendete ihn, die Größe des Tieres erschreckte ihn, und da zuckte ein Lauf herab, sauste an seinem Schädel vorbei, herab auf die Schulter, der Hut fiel zu Boden und rollte davon.

Brüllendes Gelächter am Gartenzaun belohnte die streitbare Dame für ihren ersten Streich.

Ohne Hut aber schien dem Vitus der Fortgang der Auseinandersetzung aussichtslos und entwürdigend dazu, also bückte er sich, ihn schnell aufzuheben. Nur für eine halbe Sekunde war die »Scheib'n« frei, und das genügte dem unanständigen Weibsbild; kräftig und fast lustvoll biß es zu, und schon hing das berühmte Lampl (Hemdzipfel) aus der Hose, und dem Vitus nützte nun auch der Hut nichts mehr, er war nackert, er war blamiert – mit wieherndem Gelächter feierten die Bamsbärte draußen des Schönerls Sieg.

Da legte sich ein roter Schleier über des Vitus Augen, das Blut kochte ihm auf, seine Hand fuhr zum feststehenden Messer.

»Jetzt brich' i di auf beim lebendigen Leib, du Dreckmatz«, brüllte er, und schon blitzte die scharfe Klinge durch die Luft. Da sah er, mit einem schnellen Seitenblick, oben auf dem Balkon den Chef stehen und neben ihm die Frau Gemahlin und neben dieser die beiden Töchter, kreidebleich das Weibervolk, rotgesichtig, mit geschwollenen Stirnadern der Chef. Und fast zu gleicher Zeit ertönten die piepsenden Schreie der Töchter, die tränenerstickte Stimme der Frau Forstmeister, der dröhnende Baß des Chefs:

»Vitus!«

»Vitus!«

»Vitus!«

Da fiel dem grimmen Strell der Arm herab und das Messer rutschte in die Scheide zurück. Waffenlos stand er da, und dann tat er einen Ausspruch, der den Chef erleichtert aufatmen, die Töchter erröten und die Frau Forstmeister flüchten ließ:

»Naa laß i's halt lebn, des Mistvieh, de Beißzang, de Dreckschleudern, de Badhur. Aber a Fotzen hau i eahm oba, daß' eahm de Grandl zum Arsch außi reißt!«

Und blitzschnell und mit unheimlicher Wucht schleuderte er seine breite Tatze an des Schönerl langen, adeligen Schädel, daß es schmerzhaft die Lichter zukniff und fast auf die Seite fiel. Dann rammte er ihm das Knie in den Bauch und bugsierte es nach hinten mit wohlgezielten Knüffen und knalligen Boxhieben, bis es erst die Breitseite und dann den Wedel zeigte, und schließlich in rumpelnder Flucht in seinen Unterstand floh. Dann ging er die drei, vier Schritte zur Haustür, drückte symbolisch die Klinke herunter, ließ sie wieder fahren und sprach, hinauf zum Chef gewendet:

»Es is bloß a Wett' g'wen. Nix für ungut, Herr Forstmeister. Und pfüat euch Gott alle miteinander.«

Dann ging er mit schwerem Schritt, die Blöße seines Leibes wie absichtslos mit dem Hut verdeckend, durch den Garten und entschwand.

Der Klinger zahlte in fast verdächtiger Bereitwilligkeit den Banzen Edelhell. Die Forstmeisterin war für den furchtlosen, wenngleich ein wenig arg derben Mann noch mehr als bisher eingenommen. Die Töchter aber verehrten ihn gar. Und der Chef brummte anerkennend: »Der Vitus, des is halt no a Mannsbild!«

Und Schönerl, was sagte Schönerl?

Der Chef faßte den Entschluß, die vollsaftige Dame in Freiheit zu setzen, dem Gezeter der Töchter, den Tränen der Frau Gemahlin zum Trotz.

Eines Tages rumpelte Schönerl, nachdem man ihm zuvor eine Erkennungsmarke in den Lauscher gezwickt hatte, in den Viehtransportwagen und landete dort, wo es als Kalb das Leben gewonnen, aber die Freiheit verloren hatte – in der Holzau. Als der Verschlag geöffnet wurde, machte es einen Sprung, glotzte mit blöden Lichtern in die fremde Welt, zitterte an allen Läufen und tat einige wacklige Schritte. Dann war es plötzlich, als ob ihm der Berggeist, der Waldgeist etwas in die Lauscher geflüstert hätte, es wurde ruhig, zog langsam hinauf zum Waldrand, äugte noch einmal herab zu den Männern, schien sie aber gar nicht mehr zu sehen, senkte das lange Haupt zu Boden, äste fort, bis es im Dunkel der Bäume verschwunden war.

Jahre gingen über den Berg, Wind und Wetter, Blitzschlag und Schneesturm und die herbstlichen Orkane der Brunft.

Schönerl blieb verschwunden. Der Berg hatte es verschluckt, hatte es vielleicht, das verwöhnte, verhätschelte
Fräulein, mit mitleidlosen Schlägen zu Boden gestreckt, eh
noch der Ersehnte gekommen war und es, zärtlich und
grob zugleich, in die Weichen gestoßen hatte. Dabei stand
Schönerl unter strengem Schutz, die Erkennungsmarke im
Lauscher sollte ihm ein langes, unangefochtenes Leben
gewähren.

Mit der Zeit wurde das Schönerl vergessen. Die Töchter
des Forstmeisters gingen ins Leben hinaus, im Garten des
Forstamtes spielte ein Rehkitz mit der roten Gebirgsschweißhündin.

Eines Tages, es war im November, pirschte der Vitus
weit oben am Berg der Ochsenkopfhütte zu. Er überquerte
eine steile Sandreiße und verhielt heraußen am Reiter
Köpferl. Den halben Berg übersah er von dort, oben
zwischen zwei Felstürmen ging ein alter berühmter
Gamswechsel durch, hinüber in die Schattseite. Gut 200
Meter Luftlinie waren's bis da hinauf, hier wurde in
früheren Zeiten bei den großen Riegeljagden mancher gute
Bock erbeutet. Jetzt, nach der Räude, dem großen Aus-
bluten, war der Wechsel verödet.

Vitus hockte sich auf seine Kotze und nahm das Glas an
die Augen. Wenn ein Hirsch käme, ein geringer, oder ein
Geltstuck, er würde hinauffunken. Weit hinten stand er
mit dem Abschuß. Der Spätsommer war heiß gewesen,
alles Wild zuhöchst im Berg, die Brunftgäste hatten ihm
sechs kostbare Wochen gestohlen, acht Stück waren heuer
noch zu schießen; Termine, Statistiken machen heutzutage
auch dem Berufsjäger im Gebirg das Leben sauer.

Da steinelte es über ihm, ein Latschenast schnellte hoch

– ein Stück Wild wechselte an. Schon hatte es der Jäger im Glas. Ein Altstuck. Allein. Da galt's nicht lange zu fackeln. Zuerst, wie immer, ein Blick durch's Spektiv. Ein Mordskasten. Geltstuck. Das paßt! Entsichert. Der Kolben glitt an die Wange, der Finger preßte den Lauf an den Bergstock. Breit stand das Wild im Hang. Das Fadenkreuz senkte sich ins Blatt, verbesserte sich, ruckte ein wenig hinauf. Leise knackte der Stecher...

Automatisch ging das alles, hundertmal erprobt. Aber auch dies, das letzte Zögern, der tiefe Schnaufer vor dem Schuß, das nochmalige Vergewissern, von der Erfahrung als auch vom Anstand diktiert. Auch jetzt vergingen zwei, drei Sekunden, eh über ein Leben gerichtet wurde. Und in dieser kurzen Spanne Zeit trat etwas ein, was ihn schlagartig die Büchse sinken und erneut zum Fernrohr greifen ließ. Es war etwas Fremdes an dem Stück Wild, ein winziges, mehr spürbares als erkennbares Anderssein, eine Störung, eine Disharmonie in Umriß und Farbe des Wildkörpers, ein Schimmern, ein Geblinke, sekundenschnell, irgendwo am langen, eselgrauen Grind. Vitus preßte das Spektiv an den Bergstock, zwang sich zur Ruhe, faßte erneut das Wild, Haar für Haar, wanderte noch einmal unter dem hellen schweren Bauch hindurch zu den Hinterläufen. Gesäuge? Er war sich plötzlich unsicher. Das Wild äste nun bergwärts, zeigte den Spiegel. Führend? Ehe er den Gedanken zu Ende dachte, trat ein Sonnenstrahl aus dem grauen Himmel, traf auf das Wild, rückte es hundert Meter näher; deutlich, plastisch: er sah den langen, dürren Hals, die riesigen, ledernen Lauscher und noch etwas ... noch etwas ... Die Hände zitterten ihm. Er setzte ab. Und da sah er es mit freiem Auge blitzen – die

Metallmarke. Schönerl! durchfuhr es ihn. Und noch einmal: Schönerl!

Tatsächlich stand das lange vermißte Schönerl dort oben am hohen Gamswechsel, den Rotwild im Spätherbst kaum mehr benutzte. Alt war es geworden und grobknochig, das einst so runde, stattliche Fräulein. Aber es hatte überlebt. Und war nicht als Jungfrau in den Siebziger getreten, das zeigte der beachtliche Hängebauch, der viele Kälber ausgetragen. Und jetzt zog es einsam durch den Berg. Oder nicht? Fixsakra, was is jetzt des? Hinter dem Stuck, weit hinten noch am Wechsel, Bewegung. Ein kleines dunkles Etwas drückt sich durch die Latschen, steht frei im Hang – das Kalb! Schweißperlen traten dem Vitus auf die Stirn, und er lobte und pries die Sekunde des Zögerns, die Anstandssekunde, die ihm manchen Erfolg gekostet, aber auch manchen Fehlschuß erspart hatte. Und jetzt trat, völlig lautlos, aus den Latschen ein weiteres Stück und noch eins. Sechserl, Schmalstuck. Es war gekommen wie so oft bei der Bergjagd. Ein Stein geht ab. Ein Stück Wild erscheint. Kälberstuck? Leerer Wechsel. Nirgends Bewegung. Den Alpdruck des Abschußplans auf der Brust, greift der Jäger zum Gewehr. Lauscht. Lauscht nochmals. Nichts. Der Finger geht zum Abzug, da wächst wie von Zauberhand das Kalb aus dem Boden, drängt zum vollen Gesäuge. »Herrschaftsseiten, wo hab i bloß mei Aug'n g'habt?«

Vitus legte den Sicherungsflügel um. Das Sechserl hätte ihm in den Kram gepaßt, aber dem Schönerl dort oben mag er nichts wegnehmen von seinem Anhang. Hut ab vor diesem Weiberleut! Keinen Halm Futterstadelheu verzehrt. Vom sperren Berggras gelebt, von Flechten, vom eigenen zähen Lebenssaft. Und dennoch ein halbes Dutzend Kinder aufgezogen, Geschöpfe wie sie, Einsamkeitsgeschöpfe, hartes, hohes Wild im wahrsten Sinne des Wortes. Und das alles ohne Gewöhnung, ohne Übergang, mit einem einzigen Sprung, dem Sprung aus dem Transportkäfig, damals in der Holzau. Und der Jäger Vitus tilgte die ungute Erinnerung an des Forstmeisters »Kettenhund« aus seiner Brust und empfindet nichts als Ehrfurcht und heiligen Respekt. Und drückt's nach Bayernart so aus:

»Schönerl, du bist a Luada!«

So plötzlich wie es aufgetaucht, so plötzlich ist das Schönerl mit seinem Rudel weg. Und er sieht es nicht mehr dieses Jahr. Und auch im nächsten nicht. Und auch nicht im übernächsten.

Da vergißt er das Schönerl erneut.

16 oder 17 Jahre sind vergangen, seit der Vitus das abgelahnte Wildkalb auf seinem Buckel herauf zum Holzauer Futterstadel trug. Der Mensch hat den Mond beschnuppert inzwischen, der Chines' hat zum zweitenmal das Schießpulver erfunden, und der Krieg ist abgeschafft, weil sich die Leute sowieso mit den Autos gegenseitig umbringen. Droben beim Vitus im Bergrevier aber hat sich nichts verändert. Ein paar alte Bäume sind umgefallen, ein paar neue in den Himmel gewachsen. Graue Fäden hat der Jäger im Kraushaar, ein paar Pfund Fleisch vielleicht mehr um den Bauch, ein Schritt statt zwei pro Atemzug, die Büchsflinte mehr abgewetzt, der Rucksack speckiger und am Holzauer Futterstadel nur noch knappe zwei Dutzend Stück Wild statt drei von wegen Forstwirtschaft, Verbiß, Statistik, Wichtigmacherei; alter Schmarrn, aufgekocht von neuen Assessoren.

Ein ganz besonderer Winter kam im Dezember dahergeschlichen, ein warmer, nasser, hinterlistiger. Nirgends ein Flecken Schnee, nur das Hohe Riffelkar war weiß bepudert. So ging es durch den Januar und Februar bis Anfang März. Hemdärmelig, mit aufgebundener Joppe, ging Vitus seinen täglichen Gang hinauf in die Holzau. Nur ein kleines Rudel war heuer gekommen, alles Wild stand tagsüber an den rückseitigen Hängen und zog des Nachts hinunter in die grünen Talwiesen. Da blies, ums Eck herum, urplötzlich und ohne Vorzeichen, ein kalter Wind ins Tal, eine düstere, bleischwere Wolkenbank wälzte sich von Westen her über die Loferer Berge, es wurde Nacht – und dann kam der Winter und schlug seine Eistatzen dem Berg brutal in die Flanken.

Drei Tage und Nächte tobte der Schneesturm, dann war es still. Die Berge und Täler waren im Schnee ertrunken. An den Steilhängen knisterten die Lahnen.

Am Holzauer Futterstadel wartete das kleine Rudel vor den leeren, eingeschneiten Raufen auf Vitus, den Jäger. Zwei Tage vergeblich. Am dritten war er da, ein grüner Hut, der oben aus dem Schnee herausschaute, ein rotes verschwitztes Gesicht darunter, weiße Atemwolken vor dem Mund, ein Bündel Kraft, eine menschliche Dampfmaschine, so kam er näher, und das Wild starrte ihm heißhungrig und ohne jede Scheu entgegen. Dann wirbelte die Schneeschaufel durch die Luft, die Stadeltür knarzte, Heuduft stieg auf, und eh er sich versah, war er vom Rudel umringt, fast weggedrückt.

So nah, so vertraut hatte er sein Lieblingswild nie gesehen. Auch drei bessere Hirsche kamen hinzu im Laufe der nächsten Tage, die er noch nie zu Gesicht bekommen, einsame Wanderer zwischen Gräben und Latschenhängen, denen der brutale Spätwinter den Stolz ausgetrieben hatte. Und eines Tages stand, als das Rudel längst an den Raufen versammelt war, oben zwischen den Lärchen ein mächtiges, eselgraues Altstück und sicherte mit langem Hals herab. Vitus, im Begriffe, abzusteigen, hob das Glas. Er erschrak. Ein Knochengerüst, von dünner, grauer, zernarbter Decke überzogen, der Widerrist aufstehend wie ein Höcker, der Hals lang, flachsig, knotig, ein loser schlenkernder Sehnenbogen, daran ein riesiges, knöchernes Haupt baumelte, von dem die Lauscher wie leere Schläuche herabhingen. Und noch etwas sah der Vitus, und es durchglühte ihn augenblicks das Mitleid – die Wildmarke.

»Schönerl«, flüsterte er, »Schönerl! Herrgott, wie schaust denn du aus?!« Und im gleichen Moment sprang sein Gedächtnis anderthalb Jahrzehnte zurück, und er sah das struppige, todmatte liebe Gesicht des Kalbes vor sich, das auf dem Heubüschel lag, und dann, drei Jahre später, den schmalen rassigen Kopf unter der Sitkafichte, blitzend die Lichter, den Lauf erhoben, die Aufbegehrende, die in ungestillter Freiheitssehnsucht gefährlich Gewordene, und dann der letzte Auftritt im erhabenen Rahmen des Berges, in schon sinkender Lebenssonne, aber immer noch kraftvoll, hellwach, imponierend, und jetzt da droben der Schlußakt, der Rest, das Übriggebliebene – die Greisin.

Der Jäger steht mit dem Tod auf du und du. Er trägt ihn bei sich. Aber es ist ein anonymer Tod, den er vergibt. Wie der Holzwirt seinen Wald, so lichtet er sein Wild. Da wird der Tod entmystiziert, versachlicht, wird Hilfe für das Lebende.

Mit dem Schönerl war das anders. Das Schönerl hatte er auf seiner Schulter herausgetragen aus der namenlosen Herde. Mit dem Büschel Heu, mit der Handvoll Apfelschnitzel, mit dem zärtlich geflüsterten »Schönerl« hatte er ihm eine andere Welt gebaut. Die gleiche Welt, in der unsere geliebten Hunde und Pferde leben.

Da langt der anonyme Schuß nicht hin.

Das Gewehr blieb auf dem Rücken. Mit schweren Gedanken ging der Jäger zu Tal.

Unter einer Lärche, in deren Wurzelbarren der Jäger Mais und Rübenschnitzel aufgeschüttet hatte, holte sich das alte, marode Schönerl wieder ein wenig Kraft. Anfangs war es scheu und voller Mißtrauen. Zum erstenmal nach vielen Jahren sah es wieder einen Menschen. Aber dieser Mensch war kein Schleicher, sondern ein schwerfälliger, guter Klotz. Das Schönerl wußte nichts mehr von Vitus dem Jäger, der es einstmals keuchend und schwitzend aus dem Lawinengraben geschleppt und später mit saftigen Kraftausdrücken und Watschen zur Raison gebracht hatte; das Schönerl war nur müde und schwach und hatte nichts als Hunger. Der Mensch dort unten war gut, aus seinen Armen fiel Heu. So kam es näher und näher. Und eines Tages war es überdrüssig wegzuhumpeln, wenn der gute Mann erschien. Es blieb, als das Rudel hinaufpreschte in den Hang, an der Raufe stehen, sah wie gebannt auf die Hand, die sich ihm langsam entgegenstreckte wie ein Teller. Apfelschnitzel, süß und voller Duft. Die Hand, der Geruch, der Geschmack, wie Salz. War das nicht alles schon einmal? Und das Flüstern, zärtlich und unbeholfen: »Schönerl, kennst mi eppa no?« – hatte es das nicht schon einmal gehört?

Kein rührseliges Kindermärchen wollte ich erzählen mit meiner Geschichte, aber denkt euch einmal in den Vitus hinein. War es nicht verführerisch für ihn, den Einfachen, Einsamen, zu glauben: das Schönerl kennt mich, das Schönerl ist zurückgekommen zu seinem Platz. Und liegt nicht irgendwo auch ein Sinn verborgen, eine Art Fügung, Zwang oder wie man's auch nennt, daß der Kreis des Lebens dort einmünden will, wo er einmal begann? Lassen wir dem Vitus seinen Glauben, schauen wir nicht hin, überhören wir sein zärtliches Stammeln, als das alte müde Schönerl seine kalte Muffel langsam in seinen Handteller senkte und Apfelschnitzel naschte, wie damals vor sechzehn oder siebzehn Jahren.

Spät, gegen Mitte April, blies endlich der Südwind hinein in das Holzauer Hochtal. So rabiat der Winter hereingestürmt, so rabiat wurde er nun ausgetrieben. Wie Seifenschaum fiel der Schnee in sich zusammen. In wenigen Tagen waren alle Südhänge frei. Das Futterstadelwild blieb aus.

Nur das Schönerl war noch da. Unter einer alten, schweren Fichte neben dem Kälberstall hatte es sich niedergetan und wartete auf den guten Kerl mit seinen gewölbten Taschen, aus denen täglich neue Köstlichkeiten kugelten. So verging der April. Schönerl blieb. Schönerl wartete.

Da machte der Jäger, ehe es die Holzhauer ins Forstamt trugen, dem Chef Bericht.

»'s Schönerl is droben am Futterstadel. Es kann nimmer auf. Was soll ich tun?«

Betretenes Schweigen, lange. Dann:

»Das Schönerl. So. Is' jetzt doch noch aufgetaucht?«
Und wieder nach einer Pause:

»Wir sind Jäger, Vitus. Tun Sie Ihre Pflicht. Aber behalten S' die Sache für sich. Meine Frau schwärmt heute noch von diesem Schönerl. Wissen S' noch, Strell, wie Sie ihr damals die Leviten gelesen haben? Herrschaftseiten war des...«

»Was i no sagn wollt«, unterbrach der Vitus barsch, »aufbrechn tu i's net. Lohnt sich's Verwerten nimmer. I grab's ei' neb'n Kälberstall!, Pfüa Gott!«

Und war draußen.

Tun Sie Ihre Pflicht! Leicht gesagt. Tun Sie Ihre Pflicht! Es war ein warmer sonniger Frühlingstag, als der Vitus aufstieg in die Holzau. Keine Apfelschnitzel in der Joppentasche, ganz was anderes, schmales, glattes, kaltes. Als er um die krumme Lärche bog, wo der Blick hinübergeht zum Futterstadel, saß Schönerl wie gewohnt im Lager unter der uralten Fichte.

Pflicht ... hämmerte es in des Vitus Hirn ... Pflicht ... Pflicht ... Und er nahm die Büchse von der Schulter und schob die Patrone ein. Er hatte nie übermäßig leicht geschossen. Jetzt schwitzten seine Finger, als er den Bergstock zurechtstellte.

Schönerl äugte zur Seite, schlief, träumte, war fort.

Da wurde er ruhig und zielte auf den Hals. Ein kleiner Druck, dann flog der Tod hinüber. Der Donner verschluckte sein letztes Kosewort, die Abbitte, des Tieres Hals fiel herab wie ein Hammer, die Hinterläufe keilten aus, zwei-, dreimal, wie zur letzten großen Flucht; ein Zittern, ein Seufzen, leise, fast behaglich, dann war dem Schönerl das Bild dieser Welt erloschen.

Ein kleiner matter Lichtkreis war es nur noch gewesen zuletzt, ein schmales Stück Himmel zwischen schweren dunklen Ästen hindurch, dann kam der Donner, die Fichte stürzte herab und zerrte den kleinen Himmel mit herunter. Vielleicht aber war alles ganz still und sanft ins Wesenlose hinübergeglitten, ein kalter Finger, der über die Stirn fuhr und das große Vergessen hineintupfte, hineinstreichelte ins Gehirn. Wir wissen nicht, wie ein Tier stirbt, wir wissen nicht einmal, wie wir selber sterben.

Über dem Rauhenkopf zogen zwei Kolkraben ein, dem Signal des Schusses nach. Des einen Tod, des andern Leben. Dort, wo das Schönerl lag, stumm und ausgestreckt wie eine braune Wurzel, waren aus gelbem, zerdrücktem Gras die ersten Bergkrokusse emporgeschossen. Kleine, weiße Blüten, und irgendwo in einem der Blütenhäuser summte eine wilde Biene ein dummes, fideles Liedl. Und über den Wipfeln, näher und näher, wie von einem Glockenturm herab, schwangen die Rufe der Raben ... klong ... klong ...

»Da wird's heut nix«, murmelte der Vitus, trat in den Futterstadel, kramte Hacke und Schaufel hervor und machte sich an die Arbeit.

Der räudig' Riappei

Es hat einmal eine Zeit gegeben im Dasein des Revierjägers Vitus Strell, wo er seine eigensinnige, starre Leidenschaft für das Hirschwild vorübergehend fast gänzlich einbüßte und sein Herz für die Gams entdeckte. Das war, als die Gamsräude einbrach in sein Revier. Lange vorher schon hatte sie jenseits der Landesgrenze gewütet, schließlich das ganze Steinerne Meer erfaßt, die Reiteralm abgeräumt, und dann war sie still und heimlich über die Saalach gekommen und hatte sich hineingeschlichen in die engen Schluchten und kargen Hänge des Strellschen Reviers.

Als die fürchterliche Seuche endlich abgeflaut war, lag der Berg wie ausgestorben da. Lange mußte der Jäger warten, bis sich wieder ein dunkler Punkt über den Grat bewegte. Dann fuhr ihm das Spektiv in die Hand, so schnell wie noch nie, aber er brauchte lange, bis es ihm ruhig vor den Augen lag. »A Gams, Herrgott, a Gams!«

Da erst wurde es ihm bewußt, was Gamswild wirklich ist, und er schob ein großes Stückl von seinem Herzen, das bisher dem Hirsch gehörte, hinüber zum schwarzen Krikkelwild.

Drei Jahre nachdem der letzte Räudegams geschossen worden war, kam in den Nordhängen der Rinn' wieder eine kleine Brunft zustande. Ein mächtiger Bock war plötzlich da, so schwer, so gesund, wie aus Fels gehauen. Er mochte fünf- oder sechsjährig sein, die Schläuche waren pechig und dick, wuchteten weit über die Lauscher hinauf und dann auseinander und nach hinten im kühlen Schwung. »Himmi, is des a Bock!« berichtete der Vitus seinem Chef, »der wenn uns bleibt, kriagen wir a neue Rass', und die Räude hat no was Guats g'habt aa.« Der Bock war zugewechselt, dessen war sich der Vitus sicher, und in seine Freude über die »neue Rass'« mischte sich alsbald auch Besorgnis. Und im Frühjahr, da zeigte es sich, daß der hochveranlagte Bock, der so gesund wie ein Felsen ausgeschaut hatte, im Mark schon faul gewesen war. Die Räude war wieder im Revier. Erstes Opfer war der fremde Bock selbst. Am ersten Sonntag im Mai, Vormittag gegen zehn, fand ihn der Vitus im oberen Saugraben. Der ganze Schädel war mit krätzigen Geschwüren bedeckt, der Lecker hing heraus, die Lichter hatten die Kolkraben herausgesäbelt, am Schlegel hatten ihn die Füchse ange- schnitten. Nur die Krucke war, wie zum Hohn, unver- sehrt, fünfjährig erst, gewaltig der zweite Schub des Schlauchs, auch die weiteren Schübe weit über Durch- schnitt, nur der letzte kaum mehr sichtbar, da hatte die tückische Krankheit das Wachstum dieser Trophäe, die auf dem Weg zur Spitze war, jäh und brutal unterbrochen.

Und nun lag er da zwischen den ausgebleichten Steinen des Bachbetts, in dem er vielleicht Kühlung gesucht hatte: ein Batzen aufgelösten, stinkenden Fleisches, den Aasra- ben, den Füchsen nicht mehr gut genug.

Da stieg in dem Jäger eine Wut und ein Entsetzen auf, daß er aufstöhnte und sich mit den Fäusten an die Brust trommelte wie ein Bär, der zu Tode wund ist. Alle seine

Hirsche, den alten Wendelberger einschließlich, hätte er in diesem Augenblick hergegeben, wenn's geholfen hätte, den toten Gams wieder lebendig zu machen.

Aber des königlichen Bockes Auferstehung ging, wenn überhaupt, auf anderen Wegen vonstatten, und der alte Wendelberghirsch ließ sich nicht verhandeln und verschachern, denn er war zu dieser Zeit schon in den Besitz des Riappei übergegangen, wenigstens ein Teil von ihm, nämlich die rechte Geweihstange. Und hier beginnt unsere Geschichte erst richtig.

Fast zu gleicher Zeit, als der Strell den eingegangenen Gamsbock fand, hatte auch der Riappei, dreihundert Meter über ihm, einen gurgelnden, überschlagenden Schrei getan. Er hatte die Abwurfstange eines Hirsches gefunden, und es war das stärkste Hirschhorn, das er je in diesem Revier aufgeklaubt, kohldunkel, armdick, geperlt bis über den Mittelsproß hinauf; eine Geweihstange, die man im Leben nur einmal findet. Er kannte den Hirsch nicht, dem sie vom Haupt gefallen war, aber er ahnte, es könne jener alte, mächtige sein, der nun schon ein halbes Jahrzehnt im Bereich der Böden haust, vom Revierjäger behütet und verschwiegen und dennoch bekannt in all jenen Häusern unten im Tal, wo verwaschene Kotzen und moosgrüne Hüte an den Kleiderhaken hängen.

Dem Riappei zitterten die Knie. Er hockte sich hin und ließ die Stange vorerst liegen, wo er sie gefunden hatte. Seine Nerven waren nicht die besten, und der gewaltige Fund hatte ihn aufgewühlt. Dann erst, als das Herz wieder normal schlug, besah er sich die Stange eingehend. Aber er hatte keine Ruhe, legte sie wieder hin, zupfte zerstreut und unschlüssig Gras darüber und machte sich Gedanken über den Abtransport. Im Rucksack hat sie nicht Platz, die nicht, da stünd oben die Gabel heraus, und der Strell hat Augen wie ein Falk und hockt bestimmt irgendwo herum, heut, am Feiertag.

Er beschloß, den kostbaren Fund in einem hohlen Baum zu deponieren und ihn erst bei Dunkelheit einzubringen. Aber sobald er die Stange versteckt hatte, packte ihn wieder die Gier nach ihr, er riß sie wieder heraus – und tat sie dann doch in den Rucksack, der Quere nach, so schaute oben bloß der Zipfel eines Gabelendes heraus, und den verblendete er noch mit einem Latschenzweig.

Dann stieg er ab, und der beste Weg, schnell und ungesehen hinabzukommen ins G'merk, schien ihm – der Saugraben.

Der Jäger wachte aus dumpfem Brüten auf, als es über ihm im Graben steinelte. Er zuckte zusammen. Lumpen? Ausflügler? Stangensucher? Er ging in Deckung. Sei's wer es will, er war in Kampfstimmung. Und wenn sich sein Leid, sein Gram jetzt in Wut umsetzen ließe – dann wäre ihm leichter. So dachte der Vitus, und so war er, ein brodelnder Mensch, butterweich und beinhart zugleich.

Da tauchte ein Mann auf oben im Graben, ein sperriges Trumm Rucksack im Kreuz, und Strell sah mit Erstaunen, daß es der Riappei war, vom Rennerbauern zu Rist ein lediger Sohn.

Er duckte sich tief hinter die Latschen, denn er fühlte, daß er ein brennrotes Gesicht hatte vor Erregung.

Der Riappei sprang das letzte Steinwandl hinab – und sah den Bock! Erst stand er ganz starr. Dann fing der ganze Kerl an zu zittern, daß der Berghut wackelte, und dann schaute er lange um sich mit seinem scheuen, mißtrauischen, demütigen Hundsblick. Der Strell vergaß fast zu schnaufen, die Spannung zerriß ihn fast.

Da legte der Riappei Rucksack und Joppe ab, langte in die hintere Hosentasche und brachte ein feststehendes Messer zum Vorschein. Noch einmal schaute er mit fast irrem Blick rundum, juchzte leise auf – und trat zum Bock!

Die knochige Hand fuhr in die Krucke, umspannte den Schlauch und griff zitternd die Jahresringe ab, dann zerrte er den Bock nach vorn, daß der Hals frei in der Luft hing, und schärfte ihm schnell und gekonnt das Haupt ab. Strell sah, wie ihm von den braunen Fingern der Eiter tropfte, und es drehte ihm fast den Magen um. Der Riappei aber entledigte sich seines unappetitlichen Geschäftes mit glückseligem Lächeln. Zweifach hatte ihn der Berg heute beschenkt, mit Hirsch- und Gamstrophäe und beide übermächtig. »Herrgott, der Teifi stinkt!« Dann war das Schlimmste getan, der Schädel lag vor ihm, grob enthäutet und abgeschabt, und jetzt schnell hinein in den Rucksack und zugeschnürt. »Jetzt bist mei«, flüsterte der Riapp in nicht mehr zu unterdrückender Freude, »an solchan Rucksack hat no koaner vom Berg abitragn, net amoi der Kaiser Maximilian selig!«

Da sauste der Vitus wie ein Schachterlteufel hinter seinem Latschenboschen in die Höhe und schrie: »Weil'n eahm d' Jager obitrag ham, Riapp!«, und er sprang auf den zu Tode Erschrockenen zu und beschlagnahmte den Rucksack mit rauhem Griff.

Der Riappei stand wie erstarrt. Es war, als hätte ihn der Schlag gerührt. Der Strell aber machte sich seelenruhig über den Rucksack her, griff die Gamskrucke und dann weiter unten noch etwas Dickes, Grobperliges, er zog es heraus – und die Augen traten ihm aus den Höhlen: »Riappei, Himmihund, wo hast du de Stang g'funden?«

Der Riappei deutete bergwärts und antwortete verschüchtert: »Da droben is g'legen, gleich nebam Steigl.«

»So, gleich nebam Steigl«, brummte der Strell und koste die Stang ab mit seinen breiten Pratzen. Er war sich nicht im geringsten in Zweifel, daß es der Abwurf des alten Wendelberghirsches war. In der letzten Brunft war er im G'merk gestanden, hart an der Grenze, aber er hatte ihn verschwiegen, sogar dem Chef gegenüber. Zum Dank, so hatte er geglaubt, würde ihm der Alte endlich einmal seinen Abwurf vor die Füße legen, und er hatte lange gesucht oben in den Böden und im ganzen südseitigen Gelände, aber, wie auch die Jahre vorher, nichts gefunden. Und der da, der halberte Depp, der hatte die frische Stange im Sack, als wärs ein Schwammerl.

»De Stang ist beschlagnahmt, Riappei, und die Krucken selbstverständlich aa. Und jetzt schaugst, daß d'hoamkummst und laß di nimmer segn da herobn, hast mi verstanden?!«

Mehr war nicht zu machen in diesem Fall. Für weiteres Vorgehen reichte das Delikt nicht aus. Das erfüllte den Strell mit Kümmernis. Schad, dachte er , wenn er sich nur bloß a bißl aufmucken tät, wenn er bloß zum Rucksack hinlangert, dann gang vielleicht was z'samm. Dann kannt' i'n abführn wegen Widerstands. Und wenn er dann unterwegs's Ausreißen probiern taat, sakra, des war was, des kannt i heut braucha!

Aber der Riappei stand da, als hätte er die Hose voll.

Er war, das ist hier einzuflechten, ein wenig verunglückt, insgesamt betrachtet. Gar nicht so sehr im Äu-

ßerlichen, da konnte er sogar was gleichsehn im Sonntags-
staat. Auch gar nicht so sehr droben im Hirnkastl, im
Gegenteil, er verstand sich sogar aufs Bücherlesen und
sammelte alte Bauernkalender mit gleicher Leidenschaft
wie die Hörner der Hirsche. Aber seelisch, seelisch, da war
er nicht ganz ausgebacken, da war er ein Kind geblieben,
und die Welt erschien ihm unfaßbar und bedrohlich. Er
ging ihr aus dem Weg, sooft es ging, floh hinauf in den
Berg und verbrachte den ganzen Sommer mutterseelenallein als Senner im G'merk. Dadurch war er immer noch
leutscheuer geworden und riegelte ab, wenn Fremde erschienen und einen Becher Milch trinken wollten, und
wenn es nicht mehr zu verhindern war, daß sie über seine
Schwelle traten, dann schwitzte er und bekam Angstzu-
stände. Es lag ein Schatten über ihm, der ihm das Dasein
verdunkelte und die Umwelt verzerrte und auf den Kopf
stellte. Wohl war ihm nur, wenn er allein sein konnte, die
Natur fürchtete er nicht, auch nicht die Tiere und auch
nicht die Einsamkeit. So war er, jetzt im vierzigsten
Lebensjahr stehend, noch unbeweibt und lebte, seit die
Mutter gestorben war, auf dem Hof seines Vaters, der ein
guter Mann war und ihn gegen mancherlei Spott und
Unbill abschützte. Riappeis große Leidenschaft war das
Sammeln von Raritäten. Und da er sich nirgends so wohl
fühlte als draußen in der Natur, suchte er sie haupt-
sächlich dort. Riesige Baumschwämme, skurriles
Wurzelgebild, seltene Steine hatte er zu Haufen an den
Wänden seines Schlafkammerls aufgemacht, und natür-
lich auch Hirschhörner und Schädel abgelahnter Gams.
Dabei interessierte ihn das Wild selber eigentlich kaum;
ihm gings um den Fund, die Entdeckung; das verschwie-

gene Heimbringen im Rucksack, war ihm Abenteuer genug.

Das also war der Mann, der dem Revierjäger Strell in die Hände lief, gerade in dem Augenblick, da diesem die Hoffnung auf eine schnelle und schöne Wiedergeburt seines Gamswilds jählings zerrann. Aber diese Begegnung war nicht geeignet, des vitalen Mannes Tatendrang in neue Richtung zu lenken. Der Riappei hatte Mitleid nötiger als Zorn und Verweis, aber einen kleinen Wehdam, ein kleines Schrecknis mußte er ihm antun, das erforderte die Reputation.

Es wurde ein ganz großer, langandauernder Schrecken daraus für den Riappei – aber mehr noch für den Jäger selbst. Aber das ahnte der Strell noch nicht, als er in des Riappei bleichem Gesicht nach Angriffspunkten suchte.

»Bist krank Riappei, weilst gar so blaß ausschaust?«

Der Riappei nickte: »Mitg'nommen hat's mi scho. I derschreck halt so leicht.«

Der Jäger schüttelte den Kopf: »I woaß net, Riapp, ob des der Schrecken alloanig is. Mir kimmt vor, daß du net ganz g'sund bist. Hast Kopfweh?«

Der Riappei faßte sich an den Kopf. »I glaub scho, daß i Kopfweh hab.«

»Aso, daß d' glei moanst, di draht's?«

»Is a scho vorkumma!«

»I moan jetzt?«

Der Riappei konnte eigentlich nicht feststellen, daß es ihn »draht« hätte, aber des Jägers Mitgefühl tat ihm wohl, und ein bißl Kopfweh, so sagte er sich, kann net schaden, wenn man mit einer Amtsperson zu tun hat.

Also sagte er:

»Heut is ganz schlimm. Drum bin i ja auffaganga, daß i a frische Luft derwisch. Und da hab i durch an Zufall de Stang da...«

»Is scho guat«, beruhigte ihn der Jäger. »Aber dei Kopfweh, des g'fallt ma net. Is dir schlecht aa?«

Der Riappei nickte bekräftigend.

»Scho, scho.«

Da trat der Jäger ganz nahe an den Riappei heran und schaute ihm forschend ins Gesicht.

»Deine Augn san trüab als wia bei am Gams, der...«

Der Riappei horchte auf.

»...der was...?«

»I trau mir's gar net z'sagen, Riapp. Du derbarmst mi!«

Der Riappei packte den Jäger zitternd an den Joppenaufschlägen.

Die Angst hatte ihn erfaßt, jäh und heftig.

Der Strell überlegte, ob es nicht genug sei des grausamen Spiels, aber es reizte ihn, noch ein Schrittl vorzupirschen.

»Man muaß net glei des Schlimmste onehma.« Er umfaßte des Riappei Handgelenk.

»Aber da Puls is schlecht. Und deine Händ g'falln ma aa net. Sakra, hast'n eppa gar o'glangt, den Bock?«

Der Riappei schrie auf:

»War's schlimm, sag?«

Tatsächlich hatte der Riapp, wie der Jäger frohlockend feststellte, vom Handrücken bis zum Oberarm hinauf eine kleine harmlose Hautflechte. Der Einheimische nennts »Bamhakl«. Allzu sparsamer Umgang mit Wasser und Seife sind seine Ursachen. Dieser »Bamhakl« kam dem Vitus gerade recht. Er drehte den Arm nach links und rechts.

»Da schau her«, murmelte er düster, »daß des so schnell geht, hätt' i net denkt.«

Dem Riappei saß jetzt die Furcht im Nacken wie ein wild pfauchender Kater und jagte seine Gedanken wirr durcheinander. Der Boden entwich ihm unter den Füßen, er schwebte in der Luft und fand nirgends einen Griff zum Festhalten.

»I hab net g'wußt«, flüsterte er totenbleich, »daß des d'Menschen aa kriagn...«

Es war grob, was der Jäger mit ihm tat, grausam und unbedacht, aber Vitus, selber urgesund und robust, ahnte es nicht, konnte die Fluchten und Widergänge dieser ständig gejagten Seele nicht begreifen.

Und so wagte er sich noch ein Schrittl vor:

»Warum, moanst nacha, daß mia de Räudegams allesamt verbrennan, wenns für d' Menschen net grad so g'fährlich waar? I hab ma g'schwitzt gnua, und jetzt kummst du daher und steckst di o. Und glei wia...!«

Der Riappei schwieg. Er war einer Ohnmacht nahe. Da ging der Strell aufs Ganze.

»Schlimm steht's, Riapp, schlimm! Da wird nimma viel zum Helfa sei, als wia's...«

Da riß ihm der Riappei die Hand weg und sah den Jäger geduckt und lauernd an. Seine Augen flackerten wild und unheimlich. Seine Stimme war heiser.

»Als was...?«

Der Jäger kämpfte eine Sekunde mit sich selbst. Er sah, daß er dabei war, eine Lawine ins Rollen zu bringen, die heimtückisch genug war, ihn selber mit fortzureißen. Aber der verhängnisvolle Satz lag schon fertig auf der Zunge und kitzelte ihn so sehr, daß er ihn herauslassen mußte:

»… als wia's – Derschiaßen, Riapp!«

Einen Moment schien der Riappei wie vom Blitz getroffen. Er brutzelte förmlich zusammen und wurde klein und aschfahl. Schon wollte der Strell ihn beschwichtigen und auf die Schulter klopfen:

»Riapp! Tua di net obi! Is ja bloß a Gaudi g'wen. Riapp! A Gaudi wars!«

Aber es war zu spät. Nie hätte er geglaubt, daß ein Mensch solcher Laute fähig sei. Tiefste Verzweiflung, Trostlosigkeit, Urangst waren in dem Schrei, der aus des Riappeis Brust heraufstieg, dumpf, röchelnd, als käme ein Sturz Blut hinterher. Der Strell erschrak zutiefst und suchte nach Worten, aber da war der Riappei schon ein gutes Stück unten im Graben, schlug wild mit den Armen um sich, brüllte, stürzte vornüber und kam wieder auf und brach seitwärts aus in die Latschen.

Stille. Nichts mehr. Dem Jäger lief die Ganshaut über den Rücken. Voll unguter Gefühle warf er sich des Riappei Rucksack über die Schulter und stieg hinüber zum Zirbenköpfl. Von hier aus übersah er den ganzen Hang. Nirgends eine Spur vom Riappei. Der Berg hatte ihn verschluckt. Aber sein fürchterlicher Schrei lag noch immer wie ein nie enden wollendes Echo im Gewänd, und den Jäger packten Angst und Grauen.

Vitus war nun nicht der Mann, sich aus einem Schlamaßl, das er sich selber eingebrockt hatte, sang- und klanglos hinauszuschleichen. Und so wickelte er die Abwurfstange des Wendelberghirsches am nächsten Tag fein säuberlich in einen Sackrupfen, verstaute sie im Rucksack und fuhr mit dem Motorrad nach Rist zum Rennerbauern. Er möchte mit dem Riappei reden, wegen eines Hirschen, der in der vorjährigen Brunft im G'merk gestanden hatte. Der Renner zeigte sich höchst erfreut, daß der Jäger seinem Sohn die Ehre eines Besuchs erwies, aber der Riappei sei schon am Samstag ins G'merk zum Zäunen und käme wahrscheinlich erst Ende der Woche zurück. Ob er ihm etwas ausrichten solle?

»Dankschön, Renner. Des hoaßt, wenn er eher kemma sollt, dann laß mi's wissen. Es is dringlich. Pfüat di!«

Also hinauf ins G'merk, und zwar sofort. Er schaffte den Aufstieg in die Alm in knapp anderthalb Stunden. Er schwitzte und war erregt, und als er die letzten Meter des Steiges hinter sich gebracht, stachen ihn die Lungen. Er nahm das Glas und schaute hinüber zur Hütte. Kein Rauch. Er rannte übers Trett und sah schon von weitem, daß die Hütte verschlossen war. Er hockte sich auf den Brunntrog, und es war ihm fast schlecht.

»Jetzt glaub i, hat's mi aa no derwischt, de Gamsräude!« lachte er laut, wie um sich selbst zu betäuben.

»Gamsräude... Gamsräude...« kam's aus den Wänden der Weißen Rinn zurück.

Der Strell sprang auf.

»Himmisakra!«

Und schon war's wieder da, leise, höhnisch: »Himmi...sakra...«

Da wurd's dem Strell nachgerade unheimlich zu Mut. Der Berg verhöhnte ihn.

Er formte seine Hände zu einem Schalltrichter.

»Riappei ... Riappei!« schrie er mit aller Kraft, und boshaft rollte es zurück:

»Ria...ppei...Ria...ppei...«

Da rissen ihm die Nerven. Er nahm das Gewehr und

schoß in die Luft. Einmal, zweimal, das ganze Magazin. Dumpf prallte der Donner von den Felsen ab, wurde zurückgeworfen, rollte aus und erstarb. Die Stille danach war noch bedrückender.

So hatte er das G'merk, die kleine, heitere, südseitige Alm noch nie erlebt, so unheimlich, so abweisend. In den Karen der Rinn lag noch der Altschnee grau und häßlich. Aus den Wänden kam schon die Dämmerung herab; feiner Regen sprühte ihm ins Gesicht, er fror und knöpfte sich die Kotze zu. Eine Weile saß er da. Oft war er so gesessen, weiter hinten, im Standl, die Hand am Glas, das Gewehr neben sich, und hatte nur Ruhe in sich verspürt und Wohlbehagen. Jetzt aber kroch ihm die Angst an den Beinen herauf, und er hatte nicht die Energie, sie abzuschütteln.

Bevor er abstieg, klopfte er noch mit dem Bergstock an die Tür des Kasers, sinnlos, das wußte er. Es rührte sich nichts. Oder doch? Er lauschte angestrengt. Es war ihm, als höre er ein leises Kichern aus der Schlafkammer, aber er fand nicht den Mut, der Sache auf den Grund zu gehen, und stahl sich hastig fort.

Am nächsten Tag aber kam ein anderer Strell ins G'merk. Einer der geschlafen hatte, gut, traumlos trotz allem, und am Riemen, da ging der Hund. Und die Alm war jetzt hell, und die Sonne leuchtete in jeden Winkel. Er ging zum Kaser und prüfte das Schloß. Es hielt. Da drückte er kurz entschlossen ein Fenster ein und machte eine gründliche Haussuchung. Aber alle Räume waren leer, auch Stall und Heuboden. Der Ofen war kalt, alles Geschirr aufgeräumt, die Wolldecken sauber zusammengelegt. Es war kein Zweifel: der Riappei war nicht mehr zurückgekehrt ins G'merk.

Strell überlegte nicht lang und stieg auf zur Ochsenhütte, Proviant für eine Woche im Rucksack.

Die Aktion Riappei lief an.

Noch am gleichen Tag wurde der Hund im Saugraben, wo der verendete Gamsbock lag, auf die Spur gesetzt. Aber er war kein Polizeihund, und es waren zwei Tage verstrichen, und es hatte geregnet, wenn auch nicht viel. Der Hund kam immer wieder zurück zum Bock und verwies ihn, das andere verstand er nicht.

Da war die Schlacht schon halb verloren.

Der erste Abend auf der Ochsenhütte verging in fürchterlichem Gegrübel und Selbstvorwurf. Abstieg? Meldung an die Polizei? Es schien das Naheliegendste, Aussichtsreichste, wenn auch mit gewissen Komplikationen verbunden für ihn, der diese beginnende Tragödie leichtsinnig, kurzsichtig ausgelöst hatte. Er hätte alles auf sich genommen, ohne Gemuck, aber er glaubte zu wissen, daß der Riappei den Berg nicht verlassen hatte. Er hatte sich verschanzt, eingemauert, endgültig und für immer, das entsprach seiner Art. Aber wo?

Der Strell schlief schlecht die erste Nacht, die zweite noch schlechter und die dritte gar nicht mehr. Die Nächte draußen waren kalt, es regnete wieder, graupelte auch zwischendurch, und der Riappei war kein Hirsch.

Der Jäger Vitus erlebte fürchterliche Stunden. Er hatte den Nordhang abgesucht und dabei zwei Räudegams gefunden, skelettiert bereits, Gais und Jahrling. Die Böden, Gräben, Latschenorte, die Untere Wand, Wetterbäume, Wurzeldächer, Höhlen, Wasserstellen, alles war abgeschnüffelt von Hund und Mensch – nichts, kein Zeichen, keine Spur.

Wild sprang auf, Bastgeweih bis zum Mittelsproß, der Wendelberger? Wurscht! Weiter! »Riapp, bittschön, tua halt an Schnaufer!«

Er tat es nicht. Boshaft und böse schwieg er irgendwo in seiner letzten Festung.

Jäger und Hund aber fielen vom Fleisch, die Nerven lagen frei in der Luft, unerträglich wurden die Hüttenabende, die sonst so gemütlichen. Da fiel dem Strell zu guter Letzt eine große Unterlassung ein. Noch war die Regau nicht abgesucht, frühere Taxenalm, später nachsommerlicher Weideplatz für Jungvieh, jetzt verlassen, verödet, wie alles in diesem Berg. Aber es war noch ein Unterstand dort, vier Pfosten, einer geknickt, Reste eines Schindeldachs darüber und ein lärchener Wassertrog, der noch hielt.

Nächsten Tags, kaum war Licht, pirschten sie hin; mit wildem Herzkopfen der Jäger, der Hund gleichgültig und unberührt. Aber dann riß er plötzlich nach vorn, der Strell gab ihn frei, rannte hinterher – und dann hörte er Standlaut, und das Herz hüpfte ihm fast aus der Brust.

Aber es schien wieder nur ein Gams zu sein, ein eingegangener, ein dunkler Buckl. Glas her! Laut heulte der Hund. Riappei? Dann war der Jäger dort, stürzte sich auf das Bündel Gewand, abbittend und wütend zugleich.

Er lebte noch. Aber wie! Nichts Menschliches war mehr an ihm, die Räude schien ihn nun echt und fast sichtbar erfaßt und niedergestreckt zu haben. So hatten sie ausgesehen, die Gams, die der Strell in den letzten Jahren immer und immer wieder aufgespürt hatte: stumpf, teilnahmslos, ohne Angst. Der Riappei hatte in seiner dünnschichtigen Seele eine furchtbare, grausige Wandlung mitgemacht – nun glich er auch im Äußeren der Kreatur, die den Schlag des Schicksals empfängt, ohne dem strafenden Finger zu zürnen. Er hatte keine Hand zu seiner Rettung gerührt, kein Feuer, keine Zudeck, er war hingefallen und langsam hinabgerutscht in die Gefühllosigkeit.

Als ihn der Strell auf die Schulter lud, da zuckte sein linker Haxen. Die Wärme des Körpers begann ihn von unten herauf langsam zurückzuholen in eine warme, freundliche, fast fürsorgliche Wirklichkeit.

Des Strells breite Schultern waren schwere Lasten gewohnt. Starke Gamsböcke wiegen weit über einen halben Zentner, der räudige Riappei, so abgekommen er war, wog mehr als das Doppelte, und der Weg zur Hütte ging zügig bergauf. Trotzdem setzte der Jäger nicht ab, es war, als seien ihm Flügel gewachsen und hülfen ihm, die kostbare Fracht in Sicherheit zu bringen.

Wärme brauchte der Riappei jetzt zu allererst. Strell richtete das »Trinkgeldbett« her, das bislang nur vornehmen Jagdgästen vorbehalten war, die aber dann oftmals das Portemonnaie vergessen hatten. Dann kochte er Tee, mischte ihn mit Rum und widmete sich mit einer Geduld, die ihn selber überraschte, des Riappei körperlicher Wiederauferstehung.

Sie ging zäh und nur ruckweise vonstatten. Der erste Augenaufschlag brachte tiefes Erschrecken und schnelles Zurückweichen in die Schutzmauern der Ohnmacht. Aber Strells Mischung hätte auch einen Erztoten wieder hochgebracht, und so wanderte der Riappei, mit immer fester werdenden Atemzügen, ob er wollte oder nicht, zurück in die grausame Welt. Aber so grausam schien sie ihm nun gar nicht mehr. Freund Alkohol, in steigender Menge sein Blut anreichernd, wirkte wie eine Zauberbrille; das harte Gesicht des Jägers nahm die Züge einer Krankenschwester an , und die Angst wich von ihm. Gegen Abend verlangte er zu essen, und dienstfertig begab sich der Strell an den Herd.

»Bouillon mit Ei? Nudelsuppe mit Wiener Würsteln? Pfannkuchen mit Preiselbeermarmelade? Alles kannst ham, Riappei, wann'st nur wieder auf d' Füaß kimmst!«

»A Muas möcht i«, flüsterte der Riappei und fuhr sich mit der Zunge genüßlich über die aufgesprungenen Lippen.

Der Strell glaubte aus des Riappei Wunsch beginnende Eigenwilligkeit herauszuhören, er hatte ausgerechnet das verlangt, was ihm nicht angeboten worden war, und den Jäger durchzuckte so etwas wie eine schlimme Vorahnung. Sollte er dem nicht gleich jetzt schon energisch entgegentreten, solange der Riappei noch weich war? Und einfach Bouillon servieren? Er brachte es nicht fertig, sein Schuldgefühl war zu groß, damit aber hatte er der beginnenden Tyrannei Tür und Tor geöffnet.

»Bittschön, mei Muas!«, so hieß es bereits nächsten Tags, und des Riappei Stimme klang fest und bestimmt. Und gegen Mittag, da faßte er sich noch kürzer:

»Mei Muas möcht i habn!«

Und auch das steigerte sich noch, wurde zum grantigen, aggressiven:

»Wo bleibt mei Muas?«

Es gab keinen Zweifel, der Riappei hatte mit wachsenden Kräften und schwindender Weltangst die Gunst der Stunde erfaßt und senkte nun, eingedenk der ihm widerfahrenen Unbill, den Stachel der Erpressung grausam und rachgierig in des Jägers Fleisch. Und dieses zuckte auf bei jedem Stich, denn der Strell stand im besten Saft und war von Langmut und stiller Duldsamkeit weit entfernt. Dennoch sah er sich nicht in der Lage, das immer zudringlicher werdende Insekt mit einem scharfen Hieb zu zerquetschen, und so nahm das seelische Massaker seinen Lauf.

Strell war ein Verfechter der Vorratswirtschaft. Er hatte Zeiten erlebt, da er sich mit drei Pellkartoffeln im Bauch auf seine harte Jägerpritsche geworfen hatte. Jetzt gab es alles im Überfluß, da hielt er es für gut, sich für alle Fälle auch auf seinen Jagdhütten ein wohldurchdachtes Sortiment von Nahrungsmitteln heranzuhorten. Büchsen zu allererst. Und amerikanische mit Vorrang. Und weil er oftmals auch amerikanische Jagdgäste zu führen hatte und diese, der Zünftigkeit zu Liebe, gern mit echter bayerischer Jägerkost vorliebnahmen (Schmarrn und wieder Schmarrn!), wuchs sein Konservendepot von Jahr zu Jahr. Er konnte kein Englisch, und es erfüllte ihn jedesmal mit großer Spannung, eine der knallbunten, geheimnisvollen Dosen zu öffnen. Er tat es, wenn er allein heroben war, und das Stapeln und Hin- und Herschieben, das Herumdrehen der Büchsen, das schwerfällige und vergebliche Buchstabieren der Aufschriften und das feierliche Öffnen endlich der kleinsten und unscheinbarsten, hatte ihm manch einsamen Hüttenabend verschönt.

Stets war das Wandschrankl, in dem die Dosen lagerten, gut verschlossen.

Über eine der vielen und eiligen Hantierungen, die des Riappei Pflege und Versorgung erforderten, vergaß er jedoch einmal, das Schrankerl sofort abzusperren, die Türen schwenkten auseinander und des Riappei Geierblick fiel in des Jägers sorgsam gehütete Schatzkammer.

»Jetzt möcht i amal was anders«, überraschte er den Strell kurz darauf. »Des Muas hängt mir schö langsam zum Hals außa, und a muffats Mehl hast aa herg'nomma.«

»Mir ham halt koa Hotel da heroben«, wagte der Vitus zu entgegnen, aber der Riappei deutete unmißverständlich zum Schrankl hin und befahl:

»Von dene Dosen möcht i oane, de in dem Schrankl drin san. Mach amal auf!«

Der Strell erschrak. Dann schwollen ihm die Stirnadern. Das war zuviel! »Jetzt ist Schluß! Jetzt reißt mir d' …!«

Der Riappei richtete sich ungeduldig in seinem Bett auf. O, er brauchte es gar nicht auszusprechen, dieses: »Nacha erzähl i's halt, was du mir antan hast…«, es lag ja in der Luft, immer und überall wie ein bleierner, giftiger Nebel, der das Strellsche Sturmgewitter abtötete, noch ehe es sich in saftigen Flüchen entfalten konnte. Und so gehorchte er zähneknirschend und machte die Schranktür auf.

»De große da, de rote möcht i!«

»Dasticka sollst!« knurrte der Strell und nahm die Dose heraus. Es war eine von denen, die er, das Äußere mit dem Inhalt gleichsetzend, immer wieder zurückgeschoben hatte. Mit leicht zittrigen Händen öffnete er sie jetzt. Dann grinste er. Weiße Bohnen. Ohne Fleisch. Und er leerte die Büchse erleichtert in den Tiegel.

In der kommenden Nacht befreite der Riappei, der eine schnelle und gesunde Verdauung hatte, die Ochsenhütte von Mäusen, Spinnen, Ameisen, Küchenschaben und

70

sonstigem Ungeziefer und desinfizierte sie für Jahre im voraus. Der Strell stieß die Tür auf:

»Stinka tuast Riapp – es is net zum Aushalten!«

Unmißverständlich kam die Antwort aus dem »Trinkgeldbett«, und die letzte der Küchenschaben hauchte ihren Geist aus.

Es blieb bei den Bohnen nicht. Die nächste Büchse, es war eine dunkelgrüne, enthielt Spinat, duftig, veilchenzart; die übernächste, eine ockerbraune, war mit feinstem ungarischen Gulasch gefüllt, und dann kam eine rosarote mit Saftschinken, und jetzt war der Riappei auf den Geschmack gekommen, und er fraß und schmatzte und stank – entsetzlich! Der Einbruch aber war nun vollzogen, die bunten, glänzenden, appetitlichen Büchsen purzelten nacheinander aus dem Schrankl; feiner Lachs, Sardellen in Olivenöl, auserlesener Käse, junges Gemüse mit Kalbfleisch, Schinken mit Ei, Ananas, Pfirsich, all die seltenen, leckeren Dinge, die der Strell den Söhnen des reichen Amerika nach und nach abgeluchst hatte, landeten im unersättlichen Pansen des Riapp. Zuletzt blieb noch eine Dose nicht mehr ganz koscherer Tomatenheringe übrig, und die verzehrte der Strell selbst, nachdem sie der Riappei schnuppernd und widerlich rülpsend von sich gewiesen hatte.

Aber auch jetzt noch nicht genug. Der bitterste Tropfen im Becher der Vergeltung war noch nicht hinabgewürgt.

»Jetzt taat mi auf a frisch's Stückl Fleisch lusten, Vitus. I glaub, nacha waar i wieder auf der Höh!«

Der Jäger schüttelte den Kopf.

»Wo nimm i jetzt a frisch's Fleisch her, Riapp. Sag's?«

Der Riappei blinzelte und krümmte den Zeigefinger.

»Schiaßn!«

Der Jäger fuhr auf.

»Is koa Schußzeit jetzt. Des woaßt du so guat wie i…!«

»Aber i möcht a Reh oder an Hasen«, fuhr der Riappei eigensinnig fort.

»Und wennst man net bringst, nacha…«

Da war es wieder, das fürchterliche »Nacha…«! Und der Strell riß das Gewehr vom Haken und rannte hinaus. In der Schonzeit ein Stückl Wild schießen! Wahnsinn! Selbstmord! Aber wie es der Teufel wollte, lief ihm, nicht weit von der Hütte, ein Schneehas über den Weg, und er machte, seiner Sinne nicht mehr mächtig, Dampf – und den Blaugrauen zerriß es in der Luft. Er klaubte ihn zusammen und tat ihn in den Rucksack. Es war, als drücke ihn ein glühender Stein ins Kreuz. Dreifach hatte er gesündigt: geschossen außer der Schußzeit, ohne Recht und Auftrag und ein armseliges, aussterbendes Stückl Wild dazu, das ganzjährig unter Schutz steht. Und sich damit nur noch tiefer in Schuld verstrickt. Wo führte das noch hin? Wann war ein Ende?

Als der Has verzehrt war, sprach der Riapp in feierlichem Tonfall:

»Und jetzt gehst obi und bringst mir mei Abwurfstang und de Gamskrucken aa. Und zu meine Leut sagst, daß i mi verspät hab mit'm Zäunen, und daß i morgen hoam kumm.«

Das war ein Hoffnungsstrahl, und der Strell ergriff ihn gierig.

»Wird g'macht Riappei. I schleun mi. Aber sagen tuast neamand nix, gell?«

Der Riappei lächelte still vor sich hin.

»I glaub, nacha san ma quitt!«

Und tatsächlich war es so, und das unterschied den Riappei von einem wirklichen Erpresser. Das Hirschhörndl lag auf seinem Bett, die Gamskrucke daneben, und vor ihm saß der verschwitzte, schnaufende Jäger Strell. Der Fall war erledigt.

»Jetzt bin i g'sund«, sagte der Riappei und sprang aus dem Bett. Einen Tag lang blieben sie noch heroben, und der Strell lernte in dieser Zeit den anderen Riappei kennen, so wie er vorher war, schüchtern, bescheiden, ein wenig seltsam hin und wieder, aber ganz und gar kein »halberter Depp«. Und als er dann ging, nächsten Tags in der Früh, hinunter ins G'merk, da wußte der Vitus, daß der Riappei schweigen würde.

Und so war es. Der Riappei schwieg. Nicht aber der Strell. Denn von wem hätt' ich sie sonst, diese halb schaurige, halb derbspaßige Geschichte, da niemand dabei war sonst, außer dem Berg, dem einsamen, todverschwiegenen?

Die fünfte Patrone

Es ist noch gar nicht so lange her, da blätterte ich eine Jagdzeitschrift durch und stieß dabei auf eine Karikatur, die mich nicht unbeträchtlich amüsierte: Da stand, es war wohl auf der letzten Jagdausstellung in München, ein schwarzbärtiger, flachsiger Bergschütz vor dem Bücherstand eines angesehenen bayerischen Jagdverlages, blätterte hin und blätterte her und tat dann folgenden, von einem tiefen Seufzen begleiteten Ausspruch:

»Ja, san denn mir gar nix mehr? Koa oanzigs Wildererbüchl. I sag ja, a Ganghofer steht nimmer auf!«

Als ich das sah, überkam mich das Mitleid mit diesem armen Mann, und ich nahm mir vor, bei nächster Gelegenheit eine Wildererstory hinzulegen, daß den Pensionisten vom schwarzen Gejaid die Gamsbärte wackeln und die Pfeifen aus dem Mund fallen. Aber dann, als ich anfing zu schreiben, merkte ich, daß die Figuren, die ich für mein Stückl brauchte, schnellstens Reißaus nahmen, ihre Stutzen fallen ließen und sich hinterm Bücherschrank versteckten, eben hinter jene grünen, etwas bestaubten Leinenrücken des Ganghofer Ludwig.

Ja, in der Tat, »a Ganghofer steht nimmer auf«; aber auch sie, die ihm den Stoff geliefert, sind längst in den großen Ruhestand getreten und schlafen auf den Friedhöfen der kleinen bayerischen Bergdörfer ihren letzten, ein wenig unruhigen Schlaf. Daraus mochte ich sie nicht erwecken, und ich legte die Feder fort.

Bis ich eines Tages irgendwo in einem Wirtshäusl am Fuße der Reiteralm zwischen dem Glimmen der Virginias und dem Geklimper der Bierkrügeln ein paar Gesprächsfetzen auffing, die noch ganz warm waren und nicht nach der Patina des »Klosterjägers« rochen. Ich stellte meine Lauscher auf, sammelte die Gesprächsfetzen ein und steckte sie zusammen wie ein Kartenspiel. Vier Karten waren's, vier Gesichter aus den Bergen. Von links her schaut der grimme, schwarzbärtige Jäger Sepp Schantz gleichsam über Kimme und Korn hinüber zum rechten Flügelmann, dem Feichtenbuben, einem drahtigen, heißblütigen Wildbretschützen, der zwar längst tot ist, aber trotzdem lebt und herumgeistert in diesem Spiel. Neben diesem Geist oder Ungeist lächelt still und tief wie ein Bergsee die Sennerin Res. Und ihr zur Seite die Hauptperson: ein verschlossenes, hageres Bergbauerngesicht, ein kleiner, ausgeschwitzter Körper, leicht gebeugt schon, in der linken Hand unruhig, unsicher eine Gewehrpatrone drehend – der Feichtenmartl.

So, jetzt habe ich sie vorgestellt, und nun kann's losgehen. Aber ehe ich sie ausspiele, die vier, noch schnell einen kurzen Blick hinauf zum Schauplatz des Geschehens.

Halsenkar, einsam zwischen unbekannten, unentdeckten Bergen, Latschenbergen, Wald- und Wildbergen. Oben der Grenzgrat, von Felspfeilern unterbrochen, unten im Karboden ein breiter, klobiger, hölzerner Almkaser. Drüben am Gegenhang, am Rauhkopf, ein kleines schindelgedecktes Jagdhütterl, Spekulierhütterl. Und rundherum reine Natur, kein Markierungszeichen an den Bäumen, kein Wegweiser, kein Holladriöh aus Sommerfrischlerkehle, nur ab und zu ein Flugzeugbrummer, hoch oben in der Luft.

Hier muß es gewesen sein! Hier und nirgends anders spielte sie, die Geschichte von der »fünften Patrone«.

Spätherbst, Ende Oktober, Hirsche abgebrunftet, Jäger auch, Nebel im Berg den ganzen Tag, oben auf dem Mond kann's nicht stiller sein. An einem solchen Tag fiel der giftgrüne Bazillus in eines ehrbaren Mannes Seele.

Feichtenmartl hieß er.

Der Krieg war zu Ende, der zweite in diesem Jahrhundert, er hatte ihn nicht umgeworfen, obwohl der Sohn gefallen war, der einzige, die Hoffnung, der Sinn der ganzen Werklerei. O dieser Sohn, dieser Kummersohn! Wo er's nur herhatte? Keiner zuvor hatte sich das Gesicht geschwärzt. Ahn und Urahn waren Bauern gewesen, Rackerer und fromme Beter, ein lustiger, leichter Klampfenhiasl dazwischen vielleicht. Er aber war anders, schoß als sechzehnjähriger Bursch seinen ersten Gams, und als er einrückte, der Koffer schon gepackt war, den dreidutzendsten – am hellichten Tag, oben im Roten Gewänd.

Zwei Jahre später war er tot. Und ein Kamerad aus seiner Kompanie erzählte später, daß er gestürzt und verendet sei wie ein Stück Wild. Er hatte barbarisch gut geschossen, eine gleiche Kugel warf ihn nieder. Sein Tod war ein Siegel, und der Vater öffnete es nicht.

Lange nicht.

Es waren Jahre vergangen nach dem Krieg. Es war alles wieder normal und gut geworden.

Und eines Tages im späten Oktober spannte der Feichtenmartl den Braunen ans leichte, schmale Almwagerl und fuhr hinauf zur Hochalm im Halsenkar. Er hatte sich viel vorgenommen: Mist ausfahren, Zaun ablassen, Brunntrog ausbessern, einen Dachrinnenbaum schlagen und schepsen, und zuletzt das Wichtigste, die Schindel umdecken und neue Schwaarstangen auflegen. Seit fast einem Jahrzehnt war nichts mehr geschehen auf dem Dach, und der Res, der Tochter und Sennerin, war heuer im Sommer bei einem schweren Wetterregen das Bettzeug naßgeworden.

Der Feichtenmartl machte sich also ans Werk.

Er sah die Berge nicht, wie sie sich abends rötlich färbten, er verschlief die Mondnächte, die gottesandächtigen, wenn über den Tälern der silberne Teppich des Nebels liegt, er hörte nicht draußen das Wild rupfen und husten, er schlief, er schuftete, er war ein Bauer und kein Jäger.

Das Wild hatte ihn nie gekümmert, höchstens geärgert. Besonders im Frühjahr, da stand der halbe Rotwildbestand des Reviers im geheiligten Almangerl und schlug sich den Pansen voll von seinem Gras, das für die Mahd bestimmt war; notwendiges Reservefutter für Trockenzeiten oder vorzeitigen Schneefall. Früher hatte er sich den Schaden geteilt mit dem Krügelbauern drüben im Sint, dem Schmaderer unten an der Stieglwies und seinem Feldnachbarn, dem Stoiber. Da tat es nicht so weh. Heute sind sie alle abgezogen aus dem Berg, die Hütten verfallen, die Almzäune längst umgesunken, der Wildstand aber ist gleichgeblieben, da bleibt für die Sense nicht mehr viel übrig.

Früher hatte die Jagd ein Senator aus Leipzig, heute einer aus München. Der Sachse sprach kein Bayrisch, aber er klingelte zur Weihnachtszeit mit seinem Geldsackl in die niedrigen Bauernstuben hinein; es war nicht viel, was aus dem Sackl fiel, aber die Schufter und Rackerer verstanden diese Sprache, achteten den fremden Mann und verschmerzten die paar Graserl, die das Wild von der Dunglwiese stahl. Der Bayrische redete zwar wie sie, aber sein Geldsackl blieb stumm, da wurden sie bös und bockig.

Nun, dem Krügl, dem Stoiber, dem Schmaderer konnte es wurscht sein, wer das Gras auf ihren aufgelassenen Almen fraß. Nicht aber dem Feichtenmartl. Er war geblieben, als einziger. Er hatte eine Tochter. Die anderen auch, sogar mehrere. Aber keine Res. Res, gesund, robust, gescheit sogar, bloß halt mit einem zu runden, zu groß geratenen Köpferl, einem zu wallenden Busen, das allein schon hatte genügt, sie vor dem Ehestande zu bewahren in einer Zeit, in der selbst dem hagelbuchensten Holzknecht Hutnummer und Brustumfang Sophia Lorens schon zum Begriff geworden sind.

Diesen paar lausigen Zentimetern über dem Idealmaß verdankt der Feichtenmartl, daß er noch Almbauer ist. Und der Herr Jagdpächter, der zwar bayrisch spricht und trotzdem nicht verstanden wird, verdankt ihm somit die letzte gepflegte Grasfläche am Berg. Und vielleicht wäre der Sechzehnender, den er in der vorigen Brunft schoß, bloß ein Zwölfer geworden ohne des Martl Kuhdünger, ohne seine Sense, die er unermüdlich wetzte.

Dies bedenkend, hatte sich der Martl im vergangenen Herbst aufgerafft und hatte vor dem Jagdhaus im Sülzberg einen Kniefall getan, wie der Bettler einst vor dem Ritter St. Martin. Nicht die Hälfte des Mantels hatte er begehrt, bloß ein Zipferl, Fleckerl, ausreichend, um sich eine

Kalbin oder ein Futterstierl zuzukaufen. Aber der moderne St. Martin mit den achtzig Pferdestärken in der Jagdhausgarage hatte nur gelächelt und genickt und ist mit seinem breiten Hintern fest auf der Brieftasche gesessen.

Den Hinauswurf übernahm dann der Revierjäger Sepp Schantz, der plötzlich aus dem Hintergrunde auftauchte wie ein schwarzer Teufel.

»Was möcht er? An Wildschaden möcht er? Da laßt's mi verhandeln! Dem sag i's scho!«

Der Feichtenmartl wiederholte sein Anliegen und reduzierte die Schadensforderung auf ein halbes Futterstierl.

Da ließ der Schantz seinen schwarzen Vollbart erzittern und donnerte den Martl an:

»Schaden hör i? Wer hat an Schaden, frag i? Und wenn scho, nacher bist um zwanzig Jahr zu spät dran. Den hat dei Bua scho abkassiert.«

Der Feichtenmartl wurde blaß.

»Mei Bua?«

»Ja, dei Bua! So viel können unsere Hirsch gar net fressn, was uns der Wildbret g'stohln hat!«

Der Feichtenmartl wurde noch blasser.

»Da woaß i nix! Des geht mi nix o!«

Der Jäger grinste breit:

»Aber g'schmeckt hat's dir aa!«

Der Feichtenmartl zerknüllte seinen Hut in der Faust. Das war Verleumdung! In der Tat hatte er nie einen Brocken Wildfleisch an seinem Tisch geduldet.

Und wenn er's hätte!

Wuchs das Wild nicht auf seinem Grund? Weidete es nicht zwischen seinem Almvieh? Woher nahmen diese Hergelaufenen das Recht...?

Ingrimmige Fragen, seit eh und je im Bergbauernschädel rumorend, sie hatten ihn, den Gottesfürchtigen, nie heimgesucht. Jetzt, da er wie ein armer Sünder vor den Herren der Reviere stand, erfaßten, verwirrten sie auch ihn:

»I will bloß mei Recht. Und mein Buam laßt's aus'm Spiel! Mei Bua is g'falln, und Ihr lebts und tragts euer G'wand spaziern!«

»Was trag i?« schrie der Sepp und fuchtelte nach seinem Bergstock. »Des wirst' nachert schon sehng, was i spaziern trag!«

Da fuhr der Jagdherr beschwichtigend dazwischen, lupfte, Bauernverband, Landwirtschaftsamt, Presse und sonstige moderne Unannehmlichkeiten befürchtend, sein Gesäß in die Höhe und klappte die Brieftasche auf.

Der Martl aber war schon fort und polterte den Hang hinunter wie ein vergrämter Hirsch.

»Das war das denkbar Dümmste, was Sie tun konnten!« raunzte der grüne Mann seinen dienstleifrigen Jäger an.

»So macht man aus braven Leuten Wilderer.«

»Aus dem net!« grinste der vielerfahrene Sepp, der in jungen Jahren selber einmal sein Gesicht mit Ofenruß gepflegt hatte.

»Des muß ma im Blut ham. Der Martl ko net amal a Sau abstechn. Naa, Herr, der tut uns nix.«

Das beruhigte den Herrn, und schließlich saß man ja am längeren Hebelarm, die Almwirtschaft pfiff in jener rauhen Waldgegend bereits aus dem allerletzten Loch; eine kleine »Blinddarmentzündung« von der Res, heraufbeschworen von irgendeinem weltfremden Bergstreuner und Hollywoodgegner, und das Almwagerl des Feichtenbauern polterte zu Tal und kehrte nie mehr wieder.

Dies wußte auch der Martl, und so schluckte er seinen Gram hinunter und unternahm vorerst in der Sache nichts. Im Unterbewußtsein aber trug er ab diesem Tag einen kleinen, bösen Funken Rachsucht unter der Joppe, und dies zu wissen ist wichtig, zum Verständnis des weiteren Geschehens.

Zurück zum Halsenkar.

Der Zaun war abgelassen, der Brunntrog gedichtet, der Martl nahm die Klezhack und ging ans Schindelmachen. Zwei Festmeter Holz jährlich waren am Kaserdach sozusagen vertraglich verankert, als Anhängsel des alten Weiderechts. So hatte er immer einen Vorrat gut ausgetrockneter Schindelscheiter gestapelt. »Ihr bringts mi net obi vom Berg«, dachte er bei jedem Hieb, »ihr net«! Und er schlug drein, daß ihm die Schweißperlen um die Stirn flogen.

Schindeldachdecken ist eine Freud, ein luftiges G'schäftl, wenn das Wetter mittut. Und können muß mans. Locker soll es sein, das Dach, und dennoch dicht; die Luft soll hinein, der Regen nicht, der Wind soll es bestreichen und trocknen, aber nicht anheben, und das alles ohne Klammer, ohne einen einzigen Nagel.

Der Martl deckte freiweg, uralte Erfahrung steckte in seinen Händen, schon hatte er die Hälfte des Daches eingedeckt. Da machte er einen bedeutsamen Fund: Gleich über der alten Feuerstelle, wo der Rauch in Jahrzehnten die Schindeln geschwärzt und verpecht hatte, so daß sie hart waren wie Betonplatten, lag in Ölpapier eingewickelt und verschnürt – ein Gewehr!

Der Martl erschrak und griff das Packl ab mit zittrigen Fingern: ja, es war ein Gewehr!

Er selber hatte nie geschossen, außer auf dem Schießstand beim Landesschützenbataillon, wo er noch kurz vor
Kriegsende ein paar Monate abgedient hatte. Das Gewehr,
das Schießwerkzeug, Mordwerkzeug, hatte ihn nie gereizt,
eher abgestoßen. Aber hier war etwas anderes, fast Ge-
heiligtes: eine Reliquie, und mit ehrfürchtigen Händen
nahm er sie aus der Hülle – des Buben letzte Wild-
diebswaffe! Des Buben Hände hatten an diesem Schaft
gelegen, sein Auge, das kohlschwarze, ewig unruhige,
hatte über die Kimme geschaut ins Wildhaar hinein, ins
glänzende, lockende Wildhaar; o Bub, wie hat wohl dein
junges, dummes Herz geschlagen dabei!

Beim letzten Kurzurlaub, ehe es ab nach Rußland ging,
war es wohl gewesen, da war er hinaufgerast zur Alm,
nachschauen, den Kuhgeruch wieder einmal schmecken,
die Res aufzwicken, der Falschspieler, der Heuchler, und
dabei hatte er den kurzen, scharfen Gebirgsjägerkarabiner
deponiert, Diebstahl später vorgegaukelt bei der Kompanie oder irgendwen bestochen, erpreßt; aber gewußt,
gehofft, gebrannt auf Freijagd nach dem Krieg. Und jetzt?
Gerippe, irgendwo im weiten Rußland, vom Steppenwind
zugeweht.

Der Feichtenmartl hat den Stutzen abgegriffen und
untersucht und festgestellt, daß er noch gut erhalten war.
Er hat ihn sich des Abends bei verschlossenen Fensterläden
und kleingedrehtem Licht zwischen die Beine geklemmt
und ihn entfettet und gesäubert. Er hat den Lauf durchgezogen mit einem steifen Draht, darum er eine Hanfschnur
wickelte, und das Schloß auseinandergenommen und ge-
ölt mit dem Motorsägeöl. Die Büchse funktionierte, die
»Seele« blitzte, und dann öffnete er noch das kleine Packl,

das neben dem Gewehr gelegen hatte, extra eingewickelt in einen wolligen, öldurchtränkten Lappen. Es waren, er erwartete es nicht anders, Gewehrpatronen, fünf an der Zahl, die Spitzen abgefeilt – Wilderergeschosse. Ein bißchen Grünspan an den Messinghülsen, sonst kein Schaden.

Er polierte jede einzelne glatt. Legte eine davon ins Lager. Lud durch. Jetzt war die Waffe schußbereit.

Eine Sekunde ruhte sie in seiner Hand, eine gefährliche Sekunde, in der sein Herz gewaltig schlug, dann entlud er hastig, stellte den Stutzen neben sein Bett und schlief, noch immer ein unbescholtener Mann, ein.

Vielleicht träumte er, daß der Bub oben auf einer Wolke saß, die gerade über dem Kar stand, und ihn frozzelte und bettelte, bis sein Finger zum Abzug kroch, ein Riesenfinger, dem er nicht mehr Herr ward; vielleicht träumte er gar nichts, hörte nur, spürte nur erstmals im dünnen Schlaf das Rupfen des Wildes draußen auf der nächtlichen Alm.

Am Morgen barg er den Stutzen samt Munition im Strohsack der Res und ging an die Arbeit. Das Wetter hielt noch immer. Gegen Nachmittag war das Dach eingedeckt. Die Arbeit war getan. Also eingespannt, dann war er noch vor dem Dunkelwerden im Tal.

Aber er blieb.

Er hockte sich ans Fenster und starrte hinüber auf das Jagerhüttl. Meisterhaft, raffiniert war es hingestellt, alles sah es, dieses Hütterl, keine Bewegung im ganzen weiten Kar konnte ihm entgehen.

Der alte Berufsjäger Lerch, ein kleines dürres Manderl, aber ein Erzjäger und traumsicherer Schütz, hatte es vor fünfzig Jahren gebaut als Bollwerk gegen die Grenzwilderer, die oftmals vom Grat herunter wie Hornissen einfielen ins wildreiche Revier.

Damals, als der Lerch noch lebte, waren die Fensterläden der Hütte stets geschlossen. Bei kümmerlichem Kerzenschein verzehrte der Jäger seinen Speck, ließ den Ofen unberührt, und wenn er leise vor die Hütte trat, löschte er vorher sogar die Kerze aus. Er war offiziell nie da, der Lerch, und dennoch spähte sein Spektiv unablässig hinüber ins Kar. Da wurden die Hornissen nervös und verlegten ihre Raubzüge auf die andere Seite des Berges.

Und jetzt ist eine andere Zeit, jetzt fallen die Hornissen ins Kurhaus von Ruhpolding ein, nicht minder gefährlich wie die Raubschützen von einst, aber die Gamsbärte (»garantiert selber brockt, Fräulein«) stammen von den Hüten der Väter. – Nicht alle.

Ja, der Bub wenn noch lebte, dann wäre der Schantz Sepp um zwanzig Pfund geringer, und ich hätt' mich net buckeln braucht vor dem grünen Tagdieb, dann wären wir quitt!

Der Feichtenmartl starrt hinüber zur Jagdhütte am Rauhkopf. Die Fensterläden sind offen. Kein Licht. Kein Rauch. Kein Jager. Und er, der Feichtenmartl, einziger Mensch im Umkreis von vielen Kilometern.

Daran hatte er bisher noch nie gedacht.

Und jetzt wird ihm heiß dabei. Sakra, wo treib ich hin?

Der Feichtenmartl fuhr sich über die Stirn, auf der dicke Schweißtropfen standen. Er fühlte sich eingekreist, herausgefordert, erpreßt.

»I will's net denkn«, stöhnte er, »i will net!«

Aber das Netz zog sich immer enger um seine Brust, je länger er hinüberstarrte zum Rauhkopf. Alles zog nun unaufhaltsam, gewalttätig auf einen bestimmten Punkt zu. Der Rachsuchtzeck marschierte vornweg, schamlos, ohne Umschweife: Schiaß, Martl!

Das Wildbret draußen im Almangerl schnaufte, rupfte und lockte: Schiaß, Martl!

Selbst das leere, verlassene Jagerhütterl drüben flüsterte, murmelte herüber: Jetzt sind wir allein, jetzt is' g'recht – schiaß, Martl!

Und zu allerletzt der Bub, der sich überall regt, im schwarzen Gewölk, in der Luft, in den Bäumen, und nach Auferstehung, Fortsetzung verlangt: Schiaß, Vater!

Da kapitulierte er und machte sich mit dem Gedanken vertraut, daß er ein Stückl Kahlwild schießen würde, ein gerings, schlechtes, vom Angerlrudel, von seinem Grund eins, von der Hütte aus, nicht hinausgehen, nicht wildern um Gotteswillen, bloß abbrocken wie eine reife Birn und dann genug sein lassen für alle Zeit.

Der Martl lag hellwach im Bett. Der Herrgott, Mond, Berg, Baum, Wild, Jäger und Wilderer, alles in seinen Händen haltend, alles schützend, alles liebend, schwieg ein steinernes Schweigen.

Da schlüpfte der Martl leise in die Hose, nahm den Stutzen in die Hand und schob eine Patrone in die Kammer.

Von fünf Patronen die erste.

Im Spätherbst nach der Brunft steht das Rotwild oftmals noch hoch im Berg. Nur die älteren Hirsche haben sich bereits in die südseitigen Wintereinstände davongeschlichen. Das Kahlwild aber zieht des Nachts auf die Almböden und nimmt sich das letzte Gras, das an Steillahnen schon trocken und sperr geworden ist. Erst wenn der Schnee fällt, verläßt auch das Kahlwild die Hochregion und zieht in die Nähe der Fütterungen.

Auf den Almgründen, wo den ganzen Sommer über die Kuhglocken bimmeln und Menschen tätig sind, ist das Wild auf eine sonderbare Art vertraut und hellhörig zugleich. Wie es den Winterjäger, den harmlosen, vom lauernden, schleichenden Sommerjäger unterscheidet, so auch den harmlosen Almbauern vom gefährlichen Wilddieb. Die Bewegungen, die Laute, die der Mensch von sich gibt, seine Gestalt, ja seinen Blick, weiß das Wild aus uralten Erfahrungen und Vergleichen zu deuten. Mancher ausgefuchste alte Bergjäger verzichtet daher gern auf den »schleichenden Gang« und poltert scheinbar achtlos durch die Gegend, aber auch dieser Trick bringt nur selten Erfolg; es ist, als schaue das Wild dem Menschen ins Herz.

Feichtenmartls Erfolgsaussichten waren indessen ungewöhnlich günstig. Eine breite, dickwandige Hütte umgibt ihn, aus der noch nie eine Gefahr gedroht, aus der noch nie ein Schuß gefallen, und wär's einmal gewesen zu des Buben Zeiten, dann war die Erinnerung daran erloschen.

Als er vorsichtig das Fenster öffnet, liegt die Alm im hellen Mondlicht. Der Föhn hat den Nebel abwärts gedrückt. Der Wind fällt vom Hang herab und streicht hinab in die Gräben.

Der Feichtenmartl hat gute, scharfe Augen, aber er bräuchte sie gar nicht; im Angerl stehen klar abgezeichnet, überdeutlich, drei Stück Wild. Bauernjäger tun sich leichter in der schwierigen Kunst des Ansprechens als die grünen Männer aus der Stadt. Von Kindheit an, von vielen hundert Stück Vieh, die durch ihre Ställe gegangen, sind ihnen die Zeichen geläufig, die das Alte vom Jungen, das Schwache vom Starken, das Gesunde vom Kranken unterscheiden.

Der Feichtenmartl brauchte nicht lange überlegen: Im Angerl standen ein starkes Altstück, ein Kalb und ein geringes Schmaltier.

Das kleine Rudel äste vertraut.

Er entsicherte.

Schob den Lauf zum Fenster hinaus.

Dann geschah alles wie im Traum: Donnerschlag, Mündungsflamme, Trommeln von Schalen, ein brechender Zaunpfosten, Surren des Drahtes, Geklirr einer Tasse, die aus dem Geschirrahmen gefallen war, erschrockenes Gepolter im Roßstall – und Stille.

Im Angerl draußen ein kleiner dunkler Hügel, der sich noch ein wenig rührte.

Dann trat der Mond hinter den Berg, und die Alm versank im Dunkel.

Als der Martl sich am anderen Morgen drunten am Brunn die Hände wusch, waren gerade erst sechs Stunden vergangen seit dem fürchterlichen Donnerschlag; es schien ihm, als wären es Jahre gewesen, so fern, so abgeschlossen war alles schon. Das Wild war zerwirkt, umgewandelt zu Fleisch, und lag unter Säcken, Decken und Bettzeug auf dem Almwagerl, die Decke als Geschenk an die winterlichen Bewohner der Hütte unter den dicken Stallbohlen verscharrt, der Schweiß abgewaschen und weggespült von unzähligen Eimern Wasser, der Stutzen samt Munition am alten Platz oben unter dem Dach.

War überhaupt etwas geschehen?

Die Sonne schien kühl und weiß aus überzogenem Himmel. Das Wetter schlug um. Langsam holperte das Almwagerl den schmalen Fahrweg hinunter ins Tal. Die Grenze wurde passiert mit den gewohnten Sprüchen:

»Hast dei Büchs gut versteckt, Martl?«

»Wohl gut, Herr Aufseher.«

»'s nächste Mal möcht i a Stückl sehng, gell, Martl!«

Schallendes Gelächter der Beamten, dann war der Martl durch.

An der Bodenreibn begegnete ihm der Schantz.

Halb mitleidiger, halb geringschätziger Blick: Rackerer alter, hast endlich genug. Gegenblick: G'wandtrager, kannst mi am...

Dann hatte der Feichtenmartl auch diese Hürde passiert und hielt vor seinem Haus.

Die Res erbleichte, als sie unter das Bettzeug sah.

»Vater...?«

»Halts Maul, tu's in d' G'friertruhen eini – schnell!«

Sie gehorchte in Windeseile.

Und damit war der heurige »Wildschaden« eingebracht.

Zwei Tage später wehte der rauhe Wind über die Berge, und das Halsenkar versank in tiefem Schnee.

Und dann kam wieder ein Jahr und wieder ein Herbst, eine verlassene Jagdhütte, ein neuer Befehl aus den Wolken oder aus den Bäumen, was wissen wir, ein Donnerschlag wieder, ein kleiner Buckel, der sich noch ein wenig rührte, und daheim wiederum der Blick unters Bettzeug, aber kein Erschrecken mehr, keine Frage. Ein junges Stückl war's, wiederum ein Kalb, nicht gestohlen, nicht gewildert, bloß abgebrockt, weggezwickt vom Überfluß, und alles wiederum wie ein Traum, kein Schuldgefühl, keine Reue.

Und wieder ein Jahr.

Und wieder ist eine Patrone schlank und geschwind in den Lauf geglitten, und es war schon so etwas wie Routine dabei, ein wenig Übermut, eine leise knisternde, aufglosende Leidenschaft.

Aber der Martl verließ seine Festung nicht. Noch lauerte mehr die Hütte als er selbst, noch war er mehr Vollzugsorgan einer eingebildeten, eingeredeten Gerechtigkeit, noch war es der Bub, der mit blitzschnellem Zugriff den Sicherungsflügel im entscheidenden Moment herumwarf.

Aber als wieder ein Jahr später die vierte Patrone in die Kammer glitt, da waren alle Geister und Verführer in ihm und um ihn fort, da kniete er allein hinter dem Fenster und zitterte und gierte hinaus in die nächtliche Alm – da war aus dem alten, ehrsamen Feichtenmartl ein Wilddieb geworden!

Bevor er aber ganz und gar zum Lumpen wurde, der den Einsatz nicht mehr mißt und Haus und Hof, Ehre und Gewissen und sich selbst verspielt, griff ihm das Schicksal mit eiserner Pranke an die Brust.

Im Halsenkar stimmte etwas nicht.

Das Kar selbst war noch immer so einsam, so vergessen wie zuvor. Der Feichtenkaser stand am alten Platz, der Kohlberg warf seinen Schatten herab, die Gams zogen frühmorgens über den Grat in die Nordseite, ins Hoamatl. Es war alles wie zuvor, und doch...!

Als erster merkte es der Martl selbst. Das Rotwild! Das Rotwild! Immer hatte er Anblick gehabt, wenn er mit seinem Almwagerl frühmorgens zu Berg fuhr mit Nachschub für die Res. Jetzt sah er nichts mehr, hörte nur ein paar Steine herabrollen aus den steilen Reissen, einen Ast knacken im dichten Buchenanflug – und dann Stille, eine mißtrauische, ungute Stille. Das Angerlwild kam später als sonst, äste hastiger, machte nervöse Fluchten ohne jeden Grund.

Ohne jeden Grund?

Auch dem Revierjäger Sepp Schantz, der mit dem Wild aufgewachsen war, entging die Veränderung nicht.

Das Halsenkar war sein Reservoir. Da ließ er niemand hinein und wußte diese Schutzzone, wenn es nötig war, mit saugroben Argumenten zu verteidigen.

Jeder Berufsjäger, der seine Aufgabe ernst nimmt, hat solche Fleckerl im Revier. Jedes Revier braucht seine Keimzelle, seinen Pflanzgarten, in dem das Wild ungehindert wächst, von dem es ausströmt, in den es zurückmündet. Ein Jäger, der dem Wild ein solches Fleckerl nicht vergönnt, hat kein echtes Standwild und muß seine Trophäen an der Grenze erbeuten.

Das Halsenkar war so ein Schonbezirk, und das Wild dankte es und ließ sich »anschauen«. Jetzt aber war nichts mehr zu sehen. Irgendwo ging der böse Geist um.

Ein stader, hinterfotziger, teuflisch getarnter, das spürte der erfahrene Jäger, und öfter als bisher richtete er auf seinen Pirschgängen das Spektiv hinüber.

Er dachte an Grenzgänger, irgendeinen aus der alten Garde, dem eine plötzliche aufflackernde Leidenschaft oder auch nur eine verrückte Wirtshauswette den alten, halb verrosteten Stutzen noch einmal in die Hand gedrückt hatte.

Und noch etwas kam hinzu: Im vorigen Spätherbst hatte ein Grenzbeamter auf einem Kontrollgang einen Schuß gehört und Meldung erstattet. Er wußte nicht zu sagen, wo der Schuß gefallen war. Irgendwo zwischen Rauhkopf und Kohlberg vielleicht; es war schon spät gewesen, er befand sich auf dem Abstieg, da hatte es seltsam dumpf geknallt. Weit oder nah, ob auf dem Grat oder im Kar, das vermochte er nicht zu bestimmen.

Dieser Schuß hatte auf den Schantz Sepp die Wirkung eines Wespenstichs. Aber als er am nächsten Morgen ausrücken wollte, wehte ihm der Schnee ins Gesicht, und als er in die Königsleite einbog, sah er die ersten frischen Rotwildfährten. Das Wild war abezogen vom Berg. Da änderte er sein Vorhaben und stapfte hinüber zum Futterstadel.

Seitdem nichts mehr.

Ungestört lief die Gamsbrunft ab.

Den ganzen Sommer über kein ungeklärter Schuß.

Wann war es gewesen voriges Jahr? Ende Oktober, in der düsteren, grauen, toten Zwischenzeit, wo die müden Jagerhaxen in Pantoffeln stecken, bis es dann, Anfang November herum, wieder ernst wird mit dem Pflichtabschuß. Also läßt er die Pantoffelzeit heuer ausfallen und hockt am 25. Oktober auf der Rauhkopfhütte. Proviant für vierzehn Tage, Patronen, um ein ganzes Wilddiebsregiment auszurotten. Und ihm zur Seite »Türk«, der grimme, alte, einäugige Gebirgsschweißhund, Kamerad, Genosse durch dick und dünn.

Als der Feichtenmartl gegen den 27. Oktober mit seinem Almwagerl aus dem lichten Bergwald in die freie Almfläche einmündete, stand er im Gesichtskreis eines scharfen, fünfundzwanzigfachen Spektivs.

Er wußte es nicht.

Ein Blick hinüber zum Jagerhüttl, seit Jahren der erste

Blick, den er tat, eh er noch abspannte: Läden offen, Tür zu, kein Rauch, kein Leben, wie immer.

Da hielt er beruhigt Einzug in die Alm.

Das Wetter war warm für die Jahreszeit. Wieder einmal war der Föhn am Werk, der unberechenbare, und schmuggelte zwischen die düsteren Wochen ein paar heitere Sommertage hinein. Faul lag der Schantz Sepp hinter der Hütte im Gras und ließ sich die Sonne in die offene Hemdbrust scheinen. »Türk«, der einäugige, träumte von seinem letzten G'spusi, einer Spitzin, der er gottsmächtig zugesetzt hatte.

Friedlich ging drüben im Kar der Feichtenbauer seinen Geschäftln nach. Der Klang der Axt dröhnte herüber zum schläfrigen Jäger: Brennholz! Dann der Singsang von Draht: Abzäunen! Ein paar helle Klapperer auf dem Dach: Schindelauswechseln! Dumpfes Klopfen am Holztrog: ein neuer Keil fürs Abzugsloch! Sonst nichts. Das Rößl draußen auf der Weid, der Bauer, der spätabends seinen Wassereimer füllte, der Rauch aus den Schindeln, das rote schwache Licht durchs kleine Fenster – eine friedliche Welt.

Friedliche Welt?

Und das Wild, das wie verhext war? Und der Schuß vom vorigen Jahr?

Irgendwo hockte der böse Geist, das schlechte Gewissen; ganz innen hockte es, ganz tief im Berg, wie eine schleichende Kränk.

Vielleicht aber war alles bloß eine Laune der Natur. Ein momentanes Aussetzen, Umstellen der Gewohnheiten. Immer wieder gibt es das: ein guter Platz ist plötzlich verwaist, ebensoschnell füllt er sich wieder. Das Wild hat

seine Freiheit und macht nicht selten launisch und unbere-
chenbar von ihr Gebrauch. Und auch für den vermeintli-
chen Schuß gäb's eine Erklärung: ein abgehender Fels, der
krachend an einen Baumstamm geschlagen, oder der
dumpf grollende, einzelne Donnerschlag eines späten
Herbstgewitters.

Ein Gaukler ist der Berg, ein Grimassenschneider, im
Nebel ein Irreführer, Schwermutmacher, im Sonnenschein
ein warmer, runder Bauch, des Nachts ein zottiger, fin-
sterer Bär und manchmal alles durcheinander.

Sei's wie's will, morgen würde Jäger Schantz beim Martl
drüben vorsprechen; vielleicht, daß der etwas weiß.

Martl ... Martl ...

Eine Sekunde lang blitzte in dem Jäger ein Bild auf:
Mondlicht, ein Almkaser, ein Fenster, daraus sich langsam
ein glänzender Büchslauf schiebt.

Dann erlosch das Bild. Jäger Schantz hieb seine Faust
dröhnend auf den Tisch:

»Der Martl, hörst Türk, der Martl! Eher bin i's selber
g'wen! Magst mi net verhaften, Türkei? Net? Nacher koch
ma uns jetzt an Schmarrn mitanand.«

Und er zündete ungeniert die Petroleumlampe an.

An diesem Abend hatte der Feichtenmartl drüben im
Halsenkar die fünfte und letzte Patrone in den Lauf gescho-
ben. Der Mond kam spät hinter dem Rauhkopf hervor. Es
war eine warme Nacht. Das Angerl war leer. Aber weiter
hinten, im feuchten Sund, stand ein Stuck mit seinem Kalb.

Es war weiter, als er sonst geschossen hatte, aber das
Licht war fast grell, deutlich zeichneten sich die Wildkör-
per gegen den dunklen Hintergrund ab. Er schob seinen
Wolljanker unter den Lauf und zielte in Seelenruhe.

Ehe er abzog, warf er in alter Gewohnheit noch einen schnellen Seitenblick hinüber zum Rauhkopf. Da irritierte ihn ein ganz schwacher, roter Lichtfunken.

Er setzte ab.

Da war der Funken wieder, er tanzte im Kreis wie ein Stern, aber plötzlich blieb er sitzen, wurde heller, deutlicher, ein winziges gelbrotes Viereck im nachtschwarzen Berg.

Da durchfuhr den Feichtenmartl ein fürchterlicher Schrecken – der Jäger war heroben!

Wie von Furien gehetzt stürzte er in die Schlafkammer, hob den Strohsack auf, warf den Stutzen hinein, zerrte ihn wieder heraus, stolperte in der Dunkelheit die Leiter hinauf zum Heuboden, grub ein Loch, und erst als meterhoch das Heu über der Waffe lag, beruhigte er sich.

In der Aufregung hatte der Feichtenmartl eine Kleinigkeit übersehen.

Mit fast militärischer Exaktheit, ja Pedanterie hatte er stets entladen und entspannt, wenn er den Stutzen auch nur absetzte.

Diesmal nicht.

Diese Kleinigkeit sollte ihm noch ungeahnten Schrecken bringen.

Der Feichtenmartl schlief einen schlechten Schlaf, denn noch war er, wie gesagt, kein echter Lump. Der Schantz Sepp und »Türk« hatten einen guten Schlaf getan. Schon am frühen Morgen tauchte des Jägers Hut unten am Brunntrog auf.

Dem Feichtenmartl fuhr die kalte Angst ins Herz.

»Jetzt kummt er, jetzt hat er mi, waar i doch … hätt' i

doch...« das sind seit alters her die Stoßseufzer der Gestrauchelten, wenn der Kadi naht.

Aber der Kadi war freundlich, schien des Martl wachsbleiches Gesicht nicht zu bemerken, hockte sich neben den Ofen, kramte die Pfeife heraus und tat einen grundgemütlichen Blaserer an die Zimmerdecke. Kamerad »Türk« schnuffelte inzwischen an des Martl Hosenbeinen herum.

Fast wie ein Bittsteller begann der Sepp den Diskurs:

»Seit'n Dienstag hock i jetzt scho da herobn. Moanst, i seh was, moanst, i höret was? I glaubs scho bald nimmer. De, moan i, ham mir an Bären aufbund'n. Hast jetzt du den Schuß g'hört vom vorigen Jahr, aso um die selle Zeit wia jetzt?«

Der Feichtenmartl spitzte die Ohren. Der Jäger zielte ganz offenbar an ihm vorbei. Aber vielleicht zielte er ums Eck herum? Hinauf zum Heustock? Vorsichtig, Martl, vorsichtig, jetzt heißt's aufpassen!

»An Schuß sagst? Was für an Schuß?«

»An Büchsenschuß halt, an schwarzen.«

»Da muß i nachdenken.«

Der Schantz Sepp war mit dem edlen Vorsatz gekommen, gegen gelegentliche Fürsprache beim Jagdherrn in punkto Wildschaden vom Martl einen brauchbaren Hinweis einzuhandeln.

Jetzt sträubte sich leise sein schwarzer Bart.

»Nachdenkn! Da braucht ma doch net nachdenkn! Hast jetzt den Schuß g'hört oder net?«

Martl war nun ganz Bauer, Zögerer, Spitzohr.

»I moan, i hab oan g'hört. Im Roten Wandl hint eppa?«

Der Bazi schlieft mir außi, dachte der Schantz. Und sein Bart zitterte stärker.

»Des möcht i ja von dir wissn. Deswegn bin i ja do. Oder moanst, i möcht dir a Roßmilli abfechtn?«

Demütig senkte der Feichtenmartl sein schütteres Haupt:

»I taat dir ja gern helfen. G'hört hab i den Schuß scho, aber i hab g'moant, du hast g'schoß'n.«

Der Schantz verlor langsam die Beherrschung. »Türk«, sein Vasall, den erhöhten Blutdruck seines Herrn erfühlend, fletschte die stumpfen Zähne.

»Eben net!« brüllte der Jäger, »eben net! A Lump geht um da herobn, des woaßt du so gut wia i. Aber ihr Beutelschneider steckts allesamt unter oaner Deckn, aber i ziahgs euch no weg, und wenns euch allesamt an Arsch derfrierts!«

Das »Beutelschneider« kitzelte den Feichtenmartl aus seiner Defensive heraus, er bekam einen roten Schädel und fuhr auf: »Müßts halt euern Winterschlaf verschiebn, ihr Herrn, wenns euch auf so a notigs Stückl Wildbret okommt.«

Des Jägers Blick durchbohrte ihn. »Türk« knurrte gefährlich.

»Was für a Stückl, sagst?«

Martl zuckte zusammen. Aber er hatte sich schnell wieder in der Hand. »Was werd er scho g'schossen habn? A Stuck halt. Oder an Gams, oder a Reh, oder an Hasn, was woaß i. I frag net und i siegh nix. I hab mei Arbeit.«

Der Jäger sprang auf. »Türk« ging in Angriffsstellung.

»Aber nimmer lang. Jedenfalls net da herobn. Da sorg i dafür. Des Nest räuchert i aus mit Butz und Stingl, und wenn i'n ozündn müßt, dein wurmstichigen Kaser!«

Da schnellte der Feichtenmartl in die Höhe. Seine Angst

war fort. Wehrbauer war er, der sein Haus, sein Sach, seine Ehre verteidigte. »Ozündn, sagts? Dös kunnt euch passn! Da geh i an d'Regierung; da nimm i an Rechtsanwalt! Des kost die dei Stellung, da laß i net aus, und wenn mei Hof dabei draufgeht!«

Der gute »Türk«, der kein Wort verstand, glaubte seinen Herrn in Bedrängnis. Er setzte zum Sprunge an, die Zähne knirschten, aber der Jäger verkniff sich nach kurzem inneren Kampf den Einsatzbefehl. Er fühlte, er war zu weit gegangen und brummte im Tonfall eines abziehenden, aber immer noch gefährlichen Gewitters:

»Net glei so hitzig, Martl! So wars net g'moant. Ma' ärgert si' halt, wenns oam 's Wildbret wegschießn, des wo ma' hegt und futtert. Was taatst du sagn, wenns dir a Kuh stehln taaten aus 'm Stall außa, taatst di da net aa giften? Platz jetzt, Türk! Also, Martl, was is, red ma vernünftig miteinander. Was war jetzt mit dem Schuß?«

Aber des Feichtenmartl Gesicht blieb eisig.

»Nix. I hab's scho g'sagt.«

Der Jäger kniff die Augen zusammen. Seine Stimme war leise und gefährlich.

»Und wenn i Haussuchung mach?«

»Bittschön«, flüsterte der Martl. Sein Gesicht war wie aus Stein. Da reckte sich der Jäger auf und schleuderte, Regierung und Rechtsanwalt vergessend, dem verdruckten Bauernspitz seine Verachtung ins Gesicht:

»A Schleimscheißer bist, Martl. Angst hast, mehr wie a Stallhas. Da war mir ja dei Bua no lieber. Bei dem hat's ehrli tuscht. Und wenn i'n derwischt hätt', hätt' i 'n ehrli derschossn. Du waarst mir de Kugel net wert. Kumm, nimm dein Rosenkranz und häng di auf, Mistschutzer, armseliger!«

Der Feichtenmartl duckte sich nieder. Der friedliche Mann schien gewandelt zur Unkenntlichkeit. Eine Katze, ein Tiger, der ins Feuer springt. »Jetzt langt's, Herr Jager. Jetzt haltst dei dreckigs Maul, sunst...«

Des Jägers Augen verschwanden fast unter den buschigen Augenbrauen. Der schwarze Bart spreizte sich und schien zu knistern.

»Was sunst ... sag's...!«

Feichtenmartls Fäuste waren weiß. Die Wangen eingefallen. Zwischen den Lippen sahen die gelben Zähne hindurch. Raubtierzähne. Reißzähne.

»Sunst garantier i für nix!«

»Aber i garantier dir was«, brüllte der Schantz, »nämli daß des dei' letzter Sommer war da heroben, Saubauer dreckiger!«

Und damit verließ er, nachdem »Türk« in maßloser Verachtung noch schnell das Bein gehoben und den Türpfosten bespritzt, den Feichtenkaser.

Dem Feichtenmartl schoß das Blut in den Kopf, daß ihm fast der Schädel platzte. Er war, ehe es zum ersten Schuß kam, nichts als ein Bauer gewesen, ein stiller, gottesfürchtiger. Dann hatte ihn gekränkte Ehre dazu geführt, das Recht auf eigene Faust zu suchen, und ein dreimal verfluchter Zufall hatte ihm das Vollzugsgerät, den Stutzen in die Hand gespielt, daran noch des toten Buben wilde Wünsche und Träume hingen. Derweilen er die erste Kugel lud, hatten ihm die anderen Kräfte, die Berghexen und Nebelweiber, die Wesen und Unwesen der einsamen Almnächte ein Netz gesponnen, und er war hineingerannt und hatte sich verwickelt und verfangen, aber noch war er Herr seiner Sinne geblieben, noch war die Grenze abgesteckt, fünf Patronen, fünf Schuß – dann aus. Noch war der Teufel nicht im Spiel. Jetzt aber glaubte er seine Stunde gekommen, der scharlachrote Seelenhändler, und zischte unter dem Tisch heraus:

»Derschieß'n, den grünen Hund!«

Der Feichtenmartl zuckte zusammen.

Und nochmals pfauchte der Höllensatan:

»Putz'n weg, den Jagerhund!«

Da rannte der Feichtenmartl in den Stall, hetzte die Leiter hinauf zum Heuboden, grub und grub, bis er die Büchse in den Fäusten hatte, stürzte ans Fenster, riß es auf, legte an...

Der Jäger bog gerade in den Wandlsteig ein, verhielt eine Sekunde vor der hölzernen Stiege, rückte den Gewehrriemen zurecht und leinte den Hund an.

Völlig frei stand er da.

Martl ließ das Korn von oben nach unten gleiten, über den Hut herunter, übers Gesicht, über die Achsel auf die Brust. Er hatte noch nie in seinem Leben auf einen Menschen gezielt. Es war anders, auf einen Menschen zu zielen als auf ein Stück Wild. Es war erschreckend, es war fürchterlich, es war grauenhaft. Die Knie zitterten ihm, die Hände wurden ihm schlaff, ohnmächtig verzischte und verdampfte die höllische Macht, der Herrgott griff hinein in das Bündel Mensch und riß es auf seine Seite. Aber noch im Davonhupfen, im Davonstinken angelte der rote Hinker mit seinem Knotenstock zum Martl herüber und greinte:

»Hast eh net g'laden. Kannst ruhig abdrucken. Der Gaudi halber, Martl, der Gaudi halber.«

Und Feichtenmartl drückte den Abzug zu einem erlösenden, imaginären Schuß.

Er hatte noch nicht ganz durchgedrückt, aber schon halb, schon fast ganz, da stürzte ihm ein fürchterliches Erinnern ins Herz.

Die Patrone, wo war die Patrone?

Aber er konnte es nicht mehr zu Ende denken, nicht mehr hinabfiebern zur Joppentasche, den Druck des Fingers nicht mehr bremsen, das Fürchterliche, Entsetzliche hetzte davon, unerreichbar wie ein Schatten, der sich selber überholt, die Feder schnellte aus, der Schlagbolzen fuhr nach vorn ... der Schuß ... der Schuß ... Herrgott hilf ... Herrgott hilf ...!

Was hatte er getan?

Hatte er geschossen?

Er wußte es nicht. Er war taub, blind, erstarrt, ein Stück Holz.

Fast besinnungslos riß er den Kammerstengel zurück, und da sprang die Patrone heraus, rollte unter die Bank, blieb liegen. Als er sich bückte und sie aufhob, mit bebenden, flatternden Händen, sah er in der Mitte des Zündhütchens den kleinen runden Eindruck der Schlagbolzenspitze – Versager!

Da stürzte er ohnmächtig zu Boden.

Drüben im Rauhkopfhütterl blies der Schantz Sepp das Feuer an, das Wetter schlug um, es war empfindlich kalt geworden. Er rauchte eine Pfeife und rieb seine Wadl an des »Türk« rauhem Fell und ließ seine Gedanken spazierengehen. Es kam nichts heraus dabei. Schuß hin, Schuß her, die Zeiten des alten Lerch waren unwiderruflich vorbei. Spät des Nachts, als er noch einmal vor die Hütte trat, den Druck von einem halben Dutzend Haferln Tee loszuwerden, wehte ihm die erste Schneeflocke ins Gesicht. Da war er froh und beschloß, am nächsten Tag abzusteigen.

Der Feichtenmartl lag zur selbigen Stunde auf seiner harten Pritsche. Die Gnade der Ohnmacht war ihm nicht lange vergönnt gewesen, sein zäher Körper riß ihn schnell ins Diesseits zurück. Nun lag er da, mit geschlossenen Augen, und schreckliche Bilder und Vorstellungen suchten ihn heim. Wer hätte ihm geglaubt, daß es nur ein Spiel war, eine Pantomime, ein Balanceakt mit dem fürchterlichen, gotteslästerlichen Gedanken: Jetzt wenn ich möcht, jetzt könnt ich dich...

»So war's, Herr Richter, i hab a Wut g'habt, i war wie damisch, aber schiaßn, auf an Menschen? – Nie und nimmer!«

»Aber Sie haben doch geschossen!?«

»Schon, schon, abdruckt schon, aber die Patron ... i hab g'moant ... i hab denkt ... so glaubts mir doch ... so glaubts mir doch...!«

O, er sah sie genau vor sich, die Gesichter hinter dem Richtertisch, das Wiegen ihrer Köpfe, des Staatsanwalts ironisch kaltes Lächeln, der Polizisten unbewegte Routinegesichter, und hinten im Saal, auf den Zuschauerbänken, sensationsgierig, lüstern, mitzielend, mitabdrückend, mitmordend und dann mitverdammend, die Hyänen aller Schwurprozesse, und mitten aus dieser Menge, wie ein Hornissenstich, wie ein Fackelwurf des Hasses – den Blick der schwarzverschleierten Witwe: Mörder!

Gegen Morgen schlief der Martl etwas ein. Da erschien ihm im Traum des alten »Türk« grimmiges Narbengesicht am Fensterkreuz, und er grinste diabolisch und rauchte eine messinggelbe kleine Patronenzigarre. Plötzlich zischte es, eine Pulverwolke verdunkelte den Raum, und des Hundes rauchgeschwärzter Kopf fiel in die Stube und rollte unter die Bank. Dann kam der Jäger selbst, groß wie ein Riese, wie ein Berg, vom Rauhkopf hergeschritten, das Hemd von schwarzem Blut verklebt, die Brandfackel in der Faust, und dann knisterte es hinten im Heu, eine Flamme loderte auf, und der Riese blies, blies hinein, bis ihm der Brustkorb sprang, und lachte, lachte, daß alle Berge ineinanderstürzten...

Da wälzte sich der Feichtenmartl aus dem Bett, zündete eine Kerze an und betete laut und mit fast gewaltsamer Inbrunst bis zum Morgen.

Erst wollte er sich dem Gericht stellen, ein Urteil erwirken, alles aufwaschen, alles abbüßen, das Tatsächliche und das durch Himmels Fügung nicht Geschehene. Später gab er den Gedanken auf und öffnete sich seinem Pfarrer. Der saß nun schon ein Leben lang im Beichtstuhl des kleinen Bergkircherls und hatte für Wilderei konstant ein halbes Dutzend Rosenkränze auferlegt. Und, was schwerwiegender war, den Verzicht auf weitere Untaten. Beides nahm der Martl leichten Herzens entgegen. Und das andere? Das nicht Geschehene und doch Furchtbare? Da lächelte der alte, weise Seelenhirte und sprach:

»Hast di g'schreckt?«

Und Martl flüsterte mit bebender Stimme:

»Bis in d' Seel nei, Herr Pfarrer, bis in d' Seel nei!«

»Nacher is gut. De Buß überlaß i dir selber.«

Und damit war der Feichtenmartl entlassen.

Drei Tage vor Weihnachten (es hatte noch keinen Schnee

in diesem Jahr), gegen fünf Uhr früh, fuhr ein Almwagerl am Hause des Jägers Schantz vorbei. Ein paar schnelle Schnaufer, ein paar eilige Hantierungen, dann rollte das Wagerl wieder fort. Als der Jäger gegen Vormittag seine Holzlege betrat, lag auf dem breiten Ahornhackstock, in einen Sackrupfen gewickelt – eine halbe Sau. Der Jäger war teils erfreut, teils ratlos und rief nach seiner Frau. Auf dem Sackrupfen lag ein Briefkuvert. Der Jäger öffnete es, und gemeinsam buchstabierten sie:

»Lieber Jager!
Aus einem Versächen hätt i dich bald erschossen. Der Herrgott hatt's verhinderscht. Für die vier Stückl, die was i dir gwildert hab, kriegst vier halberte Sau. Anbei die erschte. Wannst mi anzeigst, kriegst nix. Der Stutzen von meim Bubn liegt im Lössbach in der großen Gumpen beim gelben Stein und bleibt drin in Ewigkeit – kannst nachschaun.

In Ergäbenheit,
Feichtenmartl!«

Der pflichtgetreue Revierjäger Sepp Schantz kam in schwere seelische Bedrängnis. Einesteils hätte er den alten, scheinheiligen Halunken gerne ein paar Monate eingekastelt gesehen, anderenteils fürchtete er um sein Renommée, wenn aufkam, daß einer jahrelang im Revier schwarzgegangen war, ohne daß er, der Jäger, etwas davon gemerkt hatte. Ferner gedachte er seines Gehalts, das wiederum nicht aufgebessert worden war, obwohl überall die Preise stiegen, und daran, daß trotz größten Eifers in der Abschußerfüllung das Schußgeld immer noch

105

ausstand, und daß er heuer nicht einen Pfennig Trinkgeld kassiert hatte, weil die Brunft miserabel gewesen war und keiner der guten Hirsche zur Strecke kam. Und während er dies bedachte, hatte 's Marei, dieses Luderweib, bereits ein Messer in der Hand und säbelte an der Sau herum, und »Türk« warf aus seinem einen Auge einen heißen, begehrlichen Blick auf das rosige, gekringelte Sauschwanzl, als wollte er sagen:

»Allerweil der Aufbruch, endlich amal was Schweinernes!«

Da neigte er mehr und mehr dazu, des Feichtenmartl Reue- und Sühnegabe anzunehmen und gab sein stillschweigendes Einverständnis dergestalt, daß er sich abrupt umdrehte und einfach ins Haus ging und das Marei und den »Türk« mit der halben Sau alleine ließ.

Und so endete die Geschichte von der »fünften Patrone«, die alle Anlagen zu einer handfesten Tragödie in sich trug, mit einem dumpfen Brummer, den der Jäger in seinen schwarzen Bart stieß, ehe er die Haustür zumachte und damit das Kapitel Feichtenmartl abschloß:

»Ma lernt doch nie aus bei dem G'schäft. Daß der Bua vom Vattern 's Wildern lernt, des hab i scho öfter derlebt. Aber der Vatter vom Buam – des is was Neichs!«

Der »Gift-Zwerch«

Mit Wilderern leben, hieß in früheren Jahrzehnten bei uns im oberbayerischen Bergland die Parole für den Jäger. Wie dieses Leben dann aussah, das hing weitgehend von der Mentalität der Wildschützen ab. In manchen Gebieten war eine »scharfe Rass« ansässig, und es kam zu echten Machtkämpfen am Berg. In anderen Gegenden wiederum waren die »Schleicherten« unterwegs, das waren Burschen, die dem Jäger grundsätzlich aus dem Wege gingen. Sie haben wahrscheinlich weit mehr Schaden angerichtet als die »Scharfen«. Stad und unauffällig partizipierten sie am reichen Wildbestand. Ging's einmal schief, wurde ein wengl »eingesessen«, um dann, gestärkt und ausgeruht, in Seelenruhe weiter zu »geh'n«. Der Jäger mochte noch so wild tun, die Kerle ließen sich nicht provozieren, fielen um, standen wieder auf, gelobten Besserung vor dem Richter und wilderten hernach um so unverschämter. Eine verteufelte Gesellschaft, diese »Schleicherten«.

In einer solchen Gegend, am östlichen Rande der bayerischen Alpen, tat der Revierjäger Hannes Zwerch, genannt der »Gift-Zwerch«, Dienst.

Wie bei den Wilderern gibt es auch bei den Berufsjägern »milde« und »scharfe«. Der Zwerch war ein »scharfer«. Bereits drei Reviere hatte er »gereinigt«, wobei im letzte-

107

ren ein bedauerlicher Todesfall passiert war. Die Sache kam vors Gericht. Der Jäger hatte eindeutig in Notwehr gehandelt. Trotzdem sah es die vorgesetzte Behörde für gut an, ihn fürderhin in einer friedlicheren Gegend zu verwenden. Und so war er in Holzwinkel gelandet, samt seinem Weibe Walli und einer alten, fast blinden Schweißhündin namens »Röserl«.

Es gefiel ihm gar nicht.

Er war eine Kampfnatur. Hier lebten bloß Beerenweiber und Holzfrevler. Dachte er. Nach zwei Monaten stellte er fest, daß doch gewildert wurde.

Nach drei Monaten wußte er, daß stark gewildert wurde.

Und als das erste halbe Jahr am neuen Dienstort abgelaufen war, da wußte er, daß unverschämt gewildert wurde.

Er schnalzte mit den Fingern und sagte: »Haut scho!«

Hannes Zwerch war klein von Gestalt und hatte, von Mitte der Dreißig an, ein Bäucherl mitzutragen. Es genierte ihn nicht. Vorn das Wamperl, hint der Rucksack, so hielt er ausgezeichnet die Balance. Er ging im Berg so ausdauernd wie der zachste Almbauer und war flink und behend dazu. Seine Schießkunst war sagenhaft und grenzte an Artistik. Als Fluchtschütze hatte er einen Namen im ganzen Oberland. Angst war ihm ein Fremdwort. Bei Nacht war ihm so wohl wie am Tag.

Ein solcher Mann brauchte sich vor den »Geschwärzten« nicht zu fürchten.

Aber das war nur die eine Hälfte des Zwerch, sozusagen die berufliche. Die andere Hälfte, sozusagen die häusliche, sah weit weniger glorreich aus. Nämlich sein Weib, die

Walli, war eine Beißzange übelster Sorte. In jungen Jahren ein schmales, blasses Rankengewächs, hatte sie sich in einer stetigen Metamorphose zum unförmigen Kaktus gewandelt, dessen Haut immer welker und dessen Stacheln immer spitzer und giftiger wurden. Die ständige Berührung mit diesem gefährlichen Monstrum hatte den einst urgemütlichen Zwerch Hannes zu einem reizbaren Choleriker gemacht. Und da er in ihrer Nähe nicht zu explodieren wagte, trug er seinen Unmut, seinen »Gift« nach draußen, hinauf in die Berge, hinein ins Revier, und wurde dabei zum allseits gefürchteten, verhaßten »Gift-Zwerch«.

Seine Schneid als Jäger war unbestreitbar, aber vielleicht nicht einmal Ausdruck seines wirklichen Wesens; seine kompromißlose Schärfe im Revier vielleicht nur eine Flucht nach vorn. Das ständige Fegefeuer unterm Hintern ließ ihm den kurzen Höllengang durch die Gefahr wohl als eine Art Erholung erscheinen. Sein Seelenleben glich einer schwärenden Wunde, die ständig gereizt wurde; in diesem Zustand wird selbst ein Rehpinscher allmählich zum reißenden Wolf.

Zwerchs einziger Trost und Ausgleich war »Röserl« geworden, die geliebte Gebirgsschweißhündin. An sie hing er seine Liebe, die er zu Hause beim besten Willen nicht losbrachte.

Nun haben wir ihn also zerlegt, den Zwerch Hannes, hie der gefürchtete Wildererschreck, da ein gepeinigter, entschlußloser Jammersack, und nun setzen wir ihn wieder zusammen und lassen die Geschichte weitergehn.

Zwerch war sadistisch genug, nicht gleich loszuschlagen. Er ließ sich Zeit und genoß die Vorfreude. Auch war ihm daran gelegen, schon mit dem ersten Streich eine maximale Wirkung zu erzielen. Er beobachtete daher in aller Ruhe, hockte viel im Wirtshaus herum, gab Runden aus und prägte sich die Typen ein. Es waren andere Gesichter als die an seinem letzten Dienstort. Flinke Äuglein, spitze Nasen, dürre Hälse. Fuchsen hockten vor ihm, keine Schlagbären. Mit der Schießkunst allein wars da nicht getan. Wer hier Erfolg haben wollte, mußte ein ausgepichter Schleichkünstler und Fallensteller sein.

Die Holzwinkler Wildererkolonie war zunächst überaus erbaut über das neue Jagdaufsichtsorgan:

»A 'feuchter' Jager und a depperter Hund,
da bleibt der Wildschütz g'sund.«
Dachten sie.

Mit dieser Fehleinschätzung aber hatten Hannes Zwerch, genannt der »Gift-Zwerch«, und seine alte, kampferprobte Schweißhündin »Röserl« die erste Runde bereits für sich entschieden. Jetzt kamen die Füchse aus den Löchern. Die Fallen aber standen schon fängisch.

Am Maria Himmelfahrtstag, früh um vier, schlug Zwerch zum erstenmal zu.

Der Streich traf ausgerechnet Blöderl Heini, den Bürgermeistersohn. Bei mäßiger Verpflegung und hundsgemeinem Quartier verbrachte er sechs Wochen fern der Heimat im Hotel »Zur schönen Einsicht«. Der nächste, der die Hosenträger ablieferte, war Kamerad Moser Bertl, ein Spenglergesell mit einer gewissen Übung im Tütenkleben. Acht Wochen kostete ihn der gewilderte Rehbock, der zudem die Lungenwürmer hatte. Kaum hatte er den letzten Blechteller ausgeschleckt, traf im Appartement nebenan der Schmalz Girgl ein, sein Gutschein lautete auf

110

zwölf Wochen, da er mehrmals vorbestraft war und bei der Festnahme »aufgemuckt« hatte. Den größten Fang aber machte Zwerch mit dem alten Gauner Stanz Sepp. Er war der anerkannte Senior der Holzwinkler Lumpengarde. Sein beachtliches Konto wurde mit weiteren zwei Monaten belastet.

Damit war die erste »Garnitur« hinter Schloß und Riegel.

Im späten Winter überraschte der Jäger dann noch den blutjungen Wildererlehrling Zapf Hiasl beim Gamsbartrupfen. Er half ihm dabei, zeigte ihm die richtigen Handgriffe, watschte ihn sodann zu Tal und ließ ihn – laufen.

Im Berg kehrte Stille ein.

In Holzwinkel sickerte Zwerchs Vergangenheit durch. Der Name »Gift-Zwerch« ging um.

Die Fuchsen verkrochen sich.

Der Jäger glaubte die Schlacht schon gewonnen.

In der Tat fiel ein ganzes Jahr lang kein schwarzer Schuß mehr am Berg. Aber eher frißt die Maus den Fuchs, als daß ein Holzwinkler das Wildern läßt. Schüchtern tat es wieder einen Tuscher im einsamen Sautal hinten. Einen zweiten, schon dreister, oben im Krähenstein. Einen dritten, unverschämt wie eh und je, am Zottenkopf. Die Fuchsen waren wieder da. Doch diesmal waren sie auf der Hut.

So sehr sich Zwerch strapazierte, es gelang ihm kein Aufgriff mehr. Er griff zu den raffiniertesten Mitteln, verschwand für Tage, tauchte urplötzlich und an den unmöglichsten Punkten auf, als hätte ihn ein Fallschirm vom Himmel abgesetzt. Umsonst. Wohin er auch kam – er kam zu spät! Schüsse, Aufbrüche, leere Patronenhülsen belehrten ihn, daß die Fuchsen bestens im Geschäft standen. Er riß sich vor Kummer die letzten Haare aus. Sein Wamperl zerschmolz vom vielen Steigen und Schwitzen. Das alte getreue »Röserl« war einem Herzschlag nahe. Die Fuchsen aber ernteten ... ernteten ...

Monate vergingen, verzweifelt suchte Jäger Zwerch nach des Rätsels Lösung, scheute nicht zurück vor Drohung, Bestechung und Erpressung. Er fand Bazis, Schlawiner und Bluatsschlawiner – aber einen Judas fand er nicht.

Zwerch war vernichtet.

Aber bloß die eine Hälfte. Sozusagen der Jäger.

Die andere, das Mannerleut, erfreute sich eines nie gekannten Wohlbefindens. Nämlich in der Pechalm war eine neue Sennerin eingezogen. Schwarzhaarig, milchgesichtig, weißzahnig und – ledig. Als Hannes zum erstenmal die Tür zu ihrem Kaser öffnete, um ein Schalerl Milch zu erbitten, verschlug es ihm die Sprache. Da war sie, die vielbesungene bildsaubere Sennerin, die er trotz eifrigen Spechtens nie und nirgends gefunden in bald dreißig Bergjahren. Zwerch stürzte mit leichtem Zitterer ein Glas Milch hinunter und verließ den Kaser fast fluchtartig. Das schwarze Lisei aber lächelte still hinter ihm her.

Hannes Zwerch war kein Frauentyp. Zudem trug er die Spuren des ständigen Zweikampfes mit seinem Hausdrachen allzu deutlich im Gesicht. Stachelwalli hatte ihn so gründlich demoralisiert, daß er vor jedem Weiberrock in Primanerkomplexe verfiel. Andererseits trieben ihn gewisse innere Anstauungen dazu, die Nähe weiblicher Reize aufzusuchen, wann und wo er konnte. So geschah es, daß er des Nachts wie ein brunftiger Kater um Liseis Almhütte schlich, bei Tag aber nicht einmal den Mut fand, um ein zweites Schalerl Milch nachzukommen.

Da nahm das schwarzhaarige Lisei den Fall selber in die Hand.

Drei Wochen nach seiner ersten Einkehr im Pechkaser hatte sich Hannes Zwerchs Leben von Grund auf geändert. Das Mannsbild, der Liebhaber Zwerch stolzierte einher wie ein aufgeblasener Trapphahn, wogegen vom Jäger Zwerch nur noch der Rucksack alleine auf die Pirsch ging.

Der Almrausch blühte auf der Höh. Dohlen schaukelten durch die blaue Luft. Ein knieweicher Jäger stolperte träumend durchs Revier, lustig krachten die Schüsse. Er riß sich den Hut über die Ohren und hörte sie nicht.

Ein Sommerabend. Hannes Zwerch hockte oben im Krähenstein. Unter ihm die riesige Mulde der Pechalmen. Rings herum, wie die scharfen Ränder eines Stockzahns, Pechsattel, Höllenspitze, Zottenkopf – sein Revier. Unten, ganz klein und winzig, das Hütterl des schwarzhaarigen Lisei – seine Freud. Der Jäger Zwerch senkte schuldbewußt das Haupt, das Mannsbild Zwerch träumte mit roten Backerln von Liseis nächster Umarmung.

Das alte, getreue »Röserl« hockte still auf dem Rucksack und leckte ihm die Hand. Er zuckte zurück. Beleidigt rollte sich »Röserl« zusammen. Zwerch Hannes aber nahm mit zittrigen Fingern das Glas vor die Augen und schaute hinunter zum Pechkaser. Ein feuerrotes Schürzl hing an der Wäscheleine vor der Hütte und flatterte im Wind. Ein Zeichen? Ein Liebeszeichen? Wie ein Verrückter rannte Zwerch den Berg hinunter in die Arme der Geliebten.

113

Das Lisei war nicht nur ein blitzsauberes Weibsbild, sondern auch ein blitzreinliches. Hatte immer irgend etwas zum Waschen und zum Trocknen. Einmal was Weißes, einmal was Rotes. Wer ein gutes Glas hatte, konnte das ganz deutlich sehn. Vom Krähenstein, vom Pechsattel und vom Zottenkopf. Vom ganzen Revier.

Wieder einmal hockte Zwerch oben im Berg. Diesmal auf dem Pechsattel. Er hatte dienstlich verreisen müssen. »Drei Tag bin i furt«, hatte er dem Lisei anvertraut, und dieses hatte geflüstert: »Drei Tag, o je, da stirb i!« Eingedenk dieser Androhung hatte er seine Geschäfte auf anderthalb Tage zusammengezogen und war gleich von hinten heraufgestiegen über den Pechsattelsteig. Wieder war unten »geflaggt«. Diesmal ein großes, weißes Bettlaken. Irgend etwas irritierte den Jäger an der weißen Farbe. Irgendwie war ihm das Weiß unsympathisch. Nicht so schnell wie beim letztenmal stieg er ab zur Pechalm.

Das Lisei erschrak, als er eintrat. Fast vorwurfsvoll rief es: »A so daschrecka!« Eilte flugs hinaus, raffte das Bettlaken zusammen und hing das Schürzl an seine Stelle. Das rote Schürzl!

Da wurde Zwerch zum erstenmal stutzig. Der Jäger Zwerch wurde stutzig. Der Brunftkater Zwerch gronte auf unter ihren Küssen und folgte ihr taub und toll in die Liebeskammer.

Aber der Jäger Zwerch war jetzt aufgeschreckt. Ging früher fort, kam später zurück, wurde sparsamer in der Bekanntgabe seiner jagdlichen Absichten. Machte auch öfters als sonst eine »Dienstreise«, die er dann vorzeitig abbrach oder erst gar nicht antrat. Vermerkte, daß immer etwas auf der Wäscheleine flatterte, dort unten am Pechkaser. Und flatterte es weiß, dann brauchte er nicht lange zu warten – und es krachte ein Schuß. Und flatterte rot – dann war Stille.

Da ging dem Jäger Zwerch ein riesiger Seifensieder auf: dort unten war des Rätsels Lösung zu suchen! Der Grund seiner ständigen Mißgriffe! Die Warnstation der Wilderer! Bedient von – Lisei!

O, du infernalisches Luder!

Der Liebhaber Zwerch bekam einen trockenen Mund, der Jäger Zwerch einen roten Schädel. Kurzer Zweikampf. Der Jäger, wiedererstarkt in Zorn und Enttäuschung, drückte dem Brunftkater mit eisernen Pranken die Gurgel zu. Sprang in die Höhe. Riß den Stutzen vom Rücken. Lud durch:

»Jetzt könnts euch auf was g'faßt macha! Jetzt räum i auf!«

Der »Gift-Zwerch« war wiedererstanden.

Lisei signalisiert rot, Lisei signalisiert weiß. Rings um die Pechalm, auf der Höh, hockten die Fuchsen, einmal frech, einmal dasig, je nach der Farb. Das System funktionierte prächtig.

Unterdessen überdachte Zwerch seine Lage und fixierte seine Gegenzüge. Er war im Besitze des Code. Der Gegner war ahnungslos. Alle Trümpfe waren in seiner Hand. Da schlug er zu.

Unter dem beruhigenden Flattern der weißen Fahne hatte Moser-Bertl seine Abendpirsch mit einem Gamsbock gekrönt. Aber nicht zum Gastwirt und »Trichinenbeschauer« Luger Poldl lieferte er ihn, sondern – ins Forstamt. Still, ohne Aufsehen verschwand der Bertl hinterm Fenstergitterl. Und wieder kündete Liseis Bettuch

freie Wildererpirsch – und wieder falsch! »Wilderervorstand« Stanz Sepp selbst war das bedauernswerte Opfer der verwechselten Farben, auch er verschwand schnell und spurlos von der Szenerie. Ihm folgten in schneller Reihenfolge die Herren Kernbichler Lois und Gründobler Vitus. Ehe die Fuchsen Lunte rochen, hatte Jäger Zwerch, in verbissenem Tag- und Nachtdienst das Gros der Gegner außer Gefecht gesetzt.

Da wußten die Fuchsen, was die Uhr geschlagen hatte, und beriefen den großen Kriegsrat ein.

Das Ergebnis war für den Zwerch Hannes niederschmetternd.

Als er sich eines Abends dem Pechkaser näherte, das Hütl in Siegerpose schief und frech auf dem Kopf, die Virginia schräg im Maul, um dem »infernalischen« Lisei einesteils die Leviten zu lesen, andernteils aber großmütig zu verzeihen – er glaubte sich das nach seinen Erfolgen leisten zu können –, da ging die Tür auf und vor ihm stand – es konnte nicht anders sein – des Teufels Großmutter persönlich!

»Da schaust, du Verführer«, keifte es ihm entgegen, »hast gmoant, du kannst unsere braven Madln an Jagerschratzn odrahn? Des schlagst da aus 'm Kopf, Schürznjäger unsittlicher, und jetzt schaust, daß d' hoamkummst zu deiner Bißgurrn, da herobn im Berg laßt si koa Goaßbock mehr von dir oglanga!«

Wie zur Bestätigung meckerte hinten im Stall eine Ziege auf. Zwerch fiel die Virginia aus dem Maul, er drehte sich um und ergriff die Flucht, überfiel den Almzaun wie ein Hirsch und tauchte schnaufend im Wald unter.

Die alte gefürchtete Kainzn-Wabn, die ihre Rolle nicht

erst hatte einstudieren müssen, streckte ihm die Zunge heraus.

»Lumpenjager, Lumpenjager!«

Das war die Rache der Fuchsen.

Über die nächsten Wochen und Monate ist nicht viel zu berichten. Wir ersparen uns den Blick in des Zwerch Hannes Innenleben. Es sah, alles in allem, entsetzlich trostlos aus. Aber auch die Fuchsen hatten wenig Freude am Leben, die eine Hälfte hockte noch immer im Sanatorium »Wildererruh«, die andere zitterte vor dem »Gift-Zwerch«, der, wenn auch die Pechalm weit umgehend, grimmiger denn je durch sein Revier pirschte.

Irgendwann und irgendwo, vielleicht in einem dunklen Wirtshausnebenzimmer, inmitten von Dutzenden leerer Bierkrügl und Schnapsglasln, muß es dann wohl zu Verhandlungen und schließlich zu einer Art Gentlemen Agreement gekommen sein. Einzelheiten sind nie bekanntgeworden. Jedenfalls hockte Hannes Zwerch am 1. Juni des nächsten Jahres in fast unerträglicher Spannung oben im Krähenstein und schaute mit seinem abgewetzten Jagdglas hinunter zur Pechalm. Er schaute und schaute, und da flatterte plötzlich auf der Wäscheleine das rote, verfluchte, heißgeliebte Schürzl im Wind. »Lisei«, schrie er auf und rannte mit einem krächzenden Jodler den Berg hinunter.

Die Fuchsen waren zu klug, um dem Zwerch Hannes zuzumuten, daß er seine Jägerehre gegen ein rotes Schürzl verschachere. Es ging ihnen nicht um den Jäger Zwerch, dem man einen gelegentlichen Aufgriff durchaus zugestand, es ging um den »Gift«, der die ganze altehrwürdige Zunft der stillen Revierteilhaber an den Rand des Ruins getrieben hatte. Dieser Ruin war nun abgewendet, aber mit dem Versprechen künftiger Zurückhaltung teuer genug erkauft.

Immerhin, beide Parteien konnten zufrieden sein.

Im Winter darauf starb Hannes Zwerchs zweifellos schlechtere Hälfte eines einwandfrei natürlichen Todes. Zwerch trauerte sich im Rahmen seiner Möglichkeiten durch das Anstandsjahr und heiratete nach dessen Ablauf in blitzschnellem Zugriff, wie es seine Art war, – das Lisei!

Dieses war zweifellos ein ausgemachtes Mistviecherl gewesen und hatte für die Betätigung der Wilderer-Warnstation schamlose Honorare gefordert und erhalten. Aber wie Frau Walli selig, machte auch sie eine Metamorphose durch. Und Zwerch Hannes hatte diesmal Glück. Aus dem liederlichen Matzerl ward eine brave Haustaube.

Mit Zwerchs vier Kindern wuchsen auch den Holzwinkler Fuchsen Söhne heran. Söhne, die keine Reißzähne mehr hatten. Die Stutzen verrosteten. Der Pechkaser verfiel. Im Almkessel rasseln die Skilifte. Wandlungen, Übergänge, Mutationen überall.

Nur der Berg steht noch immer hoch und gewaltig da und lächelt der Fliegenschicksale dort unten und der Schreiberlinge, die daraus ihre Geschichten drechseln.

Kesseltreiben

Die bayerisch-österreichischen Berge, heute in weiten Teilen von Sommerfrischlern und Skisportlern überschwemmt, waren vor ihrer »Erschließung« nicht selten Schauplatz tödlicher Auseinandersetzungen zwischen Jägern und Wilderern. Es sollen die Gründe nicht näher untersucht werden, warum es in den Bergen häufiger als im flachen Land hierbei zum Letzten kam, zum kompromißlosen: entweder du oder ich!

Die Hitzigkeit der Berglerschädel, die angeborene Rauflust und Schießfreudigkeit, und nicht zuletzt der Schauplatz selbst, einsam, gewaltig und gewalttätig, mögen die vielbesungenen jennerweinschen Tragödien heraufbeschworen haben.

Fast alle diese Vorfälle wirken aber bei näherer Betrachtung eher schauerlich als dramatisch. Das Motiv reicht nicht aus, um wirklich zu erschüttern; der Gamsbart und sei's der kostbarste, ist des hohen Einsatzes einfach nicht wert. Die sogenannte »Wilderertragödie« bewegt sich daher, schon vom Stoff her, fast immer hart am Rande des Kitsches. Der Bänkelsänger, nicht der Dichter, ist ihr berufener Interpret.

Der nachfolgende Bericht ist von anderer Natur. Er schildert die Untaten und das Ende eines verbrecherischen

Menschen, der nur durch Zufall die Lodenjoppe des Gebirglers trug; er hätte auch in jeder anderen Umgebung brutal und gesetzeswidrig gehandelt. Die Namen der Personen und Örtlichkeiten sind frei erfunden, die Handlung selbst lehnt sich an eine tatsächliche Begebenheit an und ereignete sich Anfang der fünfziger Jahre.

An einem Sonntagabend, etwa gegen Anfang September, sitzen der Lokalreporter Brosinger, der Gastwirt und Metzgermeister Kajetan Sperl und der Polizeimeister Ernst Moosgruber, genannt der »Mooserl«, am Stammtisch des Gasthauses »Zum Jägerwirt« in Oberdrischl und blasen den Schaum von ihren Bierkrügeln. »Prost!« sagt der seit zwanzig Jahren auf vorgeschobenem Posten dahinvegetierende Zeitungsmann akademischen Grades, hebt das Glas und tut einen tiefen Zug. Die zwei anderen folgen seinem Beispiel. Der braune Saft rinnt durch die Gurgeln.

Ein Streichholz flammt auf, beleuchtet drei Gesichter, die sich mit ihren Knopfnasen und rotgeäderten Schweinsbackerln zum Verwechseln ähnlich sehen. Auch inwendig haben sich die drei in den vielen Jahren des Zusammenlebens in jenem kleinen, noch fast unentdeckten Bergdörfl einander angeglichen, und ihre Gespräche sind zu Selbstgesprächen geworden, die sparsam dahintröpfeln und erst anschwellen, wenn die Spielkarten auf dem Tisch liegen und das geliebte Krügerl zum sechsten- oder siebtenmal geleert ist.

»Wo bloß der Bacherl bleibt?« sagt Sperl, »hat'n sei junge Alte net auslassn?«

»Vielleicht hat er an Pirschgang g'macht und an Spieß Franzl beim Wildern derwischt. Eh er den vom Berg runtertreibt, kanns Mitternacht wern. I moan, mir fangen o«, sagt Dr. Brosinger und mischt die Karten.

Mooserl, die »sanfte Ortsgewalt«, lacht: »Das wär amal a Fressn für unsern Herrn Häuslreporter: ›Berüchtigter Wilderer endlich dingfest!‹ Da kannt er endlich sei Honorar a wengl auffitreibn und brauchert net allerweil aufschreibn lassen. Gell, Sperl?« Sichtbar gekränkt gibt Dr. Brosinger die Karten aus. Da springt plötzlich, wie von Geisterhand, die Tür auf, der kalte Herbstwind weht herein in die warme, halbdunkle Wirtsstube und streift die drei vom Stammtisch »G'sund san ma« ernüchternd an der Stirn.

»Jetzt glaub i selber, daß mit dem Bacherl eppas net stimmt«, sagt der Wirt und klinkt die Tür ein. Moosgruber schüttelt den Kopf: »Schmarrn! Was hat dei glumperte Tür mit dem Bacherl z' tun. Richten lassen muaßt d' as, ehs da deine letzten Gäst, die'sd no hast, auf d' Straß aussireißt.«

Im gleichen Augenblick klingelt im Nebenzimmer das Telefon. Sperl, der Wirt, rumpelt auf und rennt hinaus. Zwei Minuten später kommt er wieder zurück, die dicken Wurstfinger hilflos über dem vielfach gestopften Schafwolljanker, das Gesicht grau und eingefallen.

»Du sollst auf d'Wach kommen, Moosgruber. An Bacherl hams derschossen!«

Das ist kein Witz mehr, das sehen die Männer auf einen Blick. Und so wie die Bombe einschlug an diesem friedlichen Sonntagabend am Stammtisch »G'sund san ma«, so schlägt sie ein im ebenso friedlichen Dorfe Oberdrischl, inmitten der bayerischen Berge. Und eh der Pulverdampf zwischen Kirche und Wirtshaus, Wagnerei und Kramer verflogen ist, kracht es ein zweites Mal: Der Spieß Franzl ist fort!

Aus dem Gewirr und Geschling der Gerüchte und Tratschereien schält sich schon bald ein fast enttäuschend nüchterner Tatbestand: Am Sonntagnachmittag gegen 3 Uhr war der Revierjäger Bacherl von einer Gruppe junger Bergwanderer im Gebiet des Großen Kälbersteins tot aufgefunden worden. Am darauffolgenden Montag ist der Holzknecht Franz Spieß nicht mehr zur Arbeit erschienen. Der Forstwart, über Spieß' »Nebentätigkeit« längst im Bilde, wittert sofort Zusammenhänge und erstattet Bericht beim Forstamtsleiter. Telefonat mit der Landespolizeistation. Sofortige Haussuchung. Auf Anhieb reichliches Belastungsmaterial: Krucken, Gehörne, Decken, Munition, Ersatzlauf, Pistole 08 mit überlangem Lauf und Schulterstütze.

Die Mutter des Franz, ein verhärmtes, zu Tod erschrockenes Weib, zu keiner Aussage willens und fähig. Aber: Als die Beamten sich anschickten zu gehen, entflattert dem Gebetbuch, das zittrige, kalkweiße Hände an die Brust gepreßt halten, ein Zettel. Ein Beamter bückt sich schnell.

»Mi siehgst nimmer!«

Mit dickem Zimmermannsblei schwarz und erbarmungslos auf einen Papierfetzen geschmiert und durchs Fenster geworfen: »Mi siehgst nimmer!«

Die Polizeimaschinerie, damals noch nicht so modern und schlagkräftig wie heute, aber nicht minder gründlich, läuft an. Grenzpolizisten und Zöllner besetzen Straßen und Wege nach außen. Forstbeamte, Jäger und bergerfahrene Polizeibeamte durchstreifen die Höhenlagen.

An den Gemeindetafeln, Haus- und Stadelwänden klebt das Portrait des Flüchtigen: niedrige Stirn, enge, stechende Augen, Wulstlippen; ein Gesicht, das für den Steckbrief eigens modelliert zu sein scheint. Im Fahndungsblatt taucht dick und fett ein neuer Name auf: Franz Spieß.

Nach menschlichem Ermessen gibt es kein Entkommen.

Innen, im abgesicherten Raum, der einer belagerten Festung gleicht, wirkt unterdessen in aller Stille ein ziviler Herr aus der Stadt und trägt Steinchen um Steinchen in sein Büro, das ihm der Polizeivorstand im Dienstgebäude hatte einrichten lassen. Der Leitzorder mit der Aufschrift »Mordfall Bacherl« füllt sich. Die Zeugen geben sich die Türklinke in die Hand. Der wilde Sauf- und Raufbold Spieß hatte keine Freunde, die Dorfgemeinschaft steht nahezu geschlossen hinter der jungen Jägersfrau.

Aus einer Vielzahl von Aussagen wird schließlich so etwas wie ein Motiv sichtbar: nicht bestandene Jagdgehilfenprüfung, Neid, später Haß auf den Glücklicheren, Tüchtigeren; erstes Geplänkel auf dem Tanzboden, Stoß mit dem Ellbogen, unabsichtlich-absichtlich; Rede, Gegenrede, und weiter und immer weiter zu aufs Letzte, Ausweglose. Irgendwo im einsamen Berg, nur Fels und Wetterbaum als Zeugen, ist es dann so weit: der Jäger stellt den Wilddieb. Der Jäger ist ein Mensch, zögert, vielleicht nur Bruchteile von Sekunden, vor der letzten Konsequenz, der andere eiskalt und rabiat, zögert nicht.

»Bist verreckt, ha?« Ein Tritt mit dem Fuß und dann fort, wie ein Hirsch, polternd und krachend hinab in den Wald. Annähernd vier Wochen sitzt der emsige Kriminalkommissar nun schon in seinem Behelfsbüro und wartet auf den erlösenden Anruf von irgendeinem Außenposten, daß der Täter gefaßt sei.

Der Anruf kommt nicht.

Der Kommissar bricht seine Zelte ab und wendet sich neuen Aufgaben zu. Zöllner und Grenzpolizisten werden auf ihre Stationen zurückberufen. Es gibt keinen Zweifel mehr: Der Jägermörder Spieß ist durchgeschlüpft und wahrscheinlich schon im Ausland.

Später Oktober. Milder Sonnenschein. Der Herbst geht rund um den Berg, wirft seine Farben in die Wälder, goldgelb für die Buche, blutrot für den Ahorn. Von weißbereifter Alm herunter ein letzter, müder Hirschruf. Im Kälbersteinkar liegt schon der erste Schnee. Der Gamsbart wächst. Der neue Jäger hat seinen Dienst angetreten. Frau Bacherl, die Witwe, hat zum erstenmal seit Wochen wieder gelächelt. Der Bub, der Maxl, hats zuwege gebracht mit seinem unwissenden, unschuldigen Kinderblick. Im Kälberstein fällt nochmals Schnee. Das Leben geht weiter.

Von der ganzen Armada, die auf den Jägermörder Spieß angesetzt war, sind nur noch der Dorfpolizist Moosgruber und sein junger Kollege Brettschneider übriggeblieben. Eingewickelt in seine graugrüne Pelerine hockt Moosgruber gegen Abend an der windgeschützten Seite eines Feldstadels und dreht sich eine Zigarette. Vor ihm, einen Büchsenschuß entfernt, schräg am Hang, das kleine Höberlanwesen, Heimat des Franz Spieß. Moosgruber nimmt sein Glas aus dem Mantel und schaut.

Er hat keine Akte angelegt in Sachen Bacherl, er ist nur ein einfacher Dorfgendarm, ein geduldiger Hobler und Gradbügler der Buckel und Unebenheiten, die das Leben in einer kleinen Gemeinde halt so mit sich bringt. »Mangelnde Schärfe« und »mäßiger Ehrgeiz«, so steht wohl, zumindest zwischen den Zeilen, in seinem Personalakt. Das hat ihn aber nie sonderlich gekränkt; der liebevolltätschelnde, schulterklopfende »Mooserl« wiegt ihm mehr, als eine mit Strafanzeigen gespickte Karriere.

Die Dämmerung kommt, der Nebel schleicht über die Felder, verschluckt das Unglückshaus am Hang. Gedankenverloren zieht Moosgruber an seiner Zigarette.

Schon der alte Spieß war ein Wirtshausbruder und Wilddieb gewesen, aber in gewissem Sinne ein Original, mit einem Rest von Liebenswürdigkeit, ein Valot, aber kein Gewalttäter. Nicht nur einmal hatte Moosgruber den krummbeinigen, spindeldürren Weiberschreck, voll wie eine Strandhaubitze, in irgendeinem Straßengraben aufgestöbert und mit guten Reden und sanften Fußtritten nach Hause expediert. Und nie ließ ihn die Frau, die ihm fast wie eine Heilige vorkam neben dem alten versoffenen Satyr, ohne Brotzeit gehn.

Als der alte Spieß dem Teufel Alkohol endlich den letzten Zins gezahlt (auf der Landstraße hatte ihn ein Lastauto überwalzt), übernahm der junge Schnapsflasche und Stutzen des Vaters, und zur angeborenen Liederlichkeit und Arbeitsscheu kam noch die Brutalität. Das Leben neben dem Mann war ein Fegefeuer gewesen, das Leben neben dem Sohn wurde zur Hölle.

Tät not, ich schickert ihr den Doktor hinüber zum Nachschauen, denkt Mooserl, der getreue Hirt seiner Gemeinde. Im selben Moment zieht der Nebel hoch, drüben geht die Stalltür auf, ein Weib erscheint, die schwere Kraxe auf dem gekrümmten Rücken, in der Hand eine Stallaterne. Ein Blick hin und her, wieselflink, dann hupft sie davon, steif und eckig wie eine alte Rehgeiß, hinein in den Nebel, hinauf in den Wald.

Da ist dem Polizeimeister blitzartig klar, daß der Spieß Franz noch in der Gegend ist, daß er irgendwo am Berg hockt; trotz des »Mi siehgst nimmer« von der Mutter aufgespürt, versorgt durch die Nabelschnur, die auch einem Mörder nicht zerreißt.

Was soll er tun? Heimgehn, nix sehen, das Schicksal laufen lassen? Oder zupacken, die Gunst der Stunde nutzen? Wenn er jung wäre, wenn er nicht die verdammten Hühneraugen hätte, den Bierbauch, den viel zu hohen Blutdruck!

Zur Entscheidung bleiben nur Sekunden.

Moosgruber spuckt den Rest der Zigarette zu Boden, legt die schwitzigen Finger um die Pistolentasche, sagt laut zu sich selbst »Hammel!« und schreitet gen Berg, dem Schein der Laterne nach, die weit oben, nur noch ganz schwach, aus dem Nebel leuchtet.

Um den Anschluß nicht zu verlieren, legt er sich gewaltig ins Zeug, bald macht sich Luftmangel bemerkbar, er reißt sich die Krawatte vom Hals, öffnet das Hemd, sein Herz pumpt wie verrückt. »Hammel«, schnauft er, »Bierwampen dreckerte!«, und es hilft, tatsächlich kommt er der Laterne näher.

Auf einem Holzziehweg geht es in Richtung Roßalm, dann ist der Weg aus, die Laterne schimmert von rechts herunter. Mit Mühe findet Moosgruber Spuren eines Pfads, der steil hinauf in den Bergwald führt. Die Knie versagen ihm, er stolpert, fällt hin, rafft sich auf, verflucht sein unsportliches Leben. Aber nun hat ihn die Wut gepackt. Wut gegen sich selbst, Wut gegen die alte, krumme Hex vor ihm, die, mit der Halbzentnerlast auf dem Buckel, hinaufschwebt über den Berg, als hätte sie Flügel.

Sie hat Flügel.

Es sind die Flügel der Mutterliebe, die nicht unterscheiden will zwischen guten und schlechten Söhnen.

Die Jagd, eine solche ist es inzwischen geworden, geht in den steilen Hölltobel, dann hinüber in die flachere »Grumpen«. Lichter werdender Wald und spärlicher Mondschein erleichtern jetzt das Gehn. Der Wind weht scharf vom Berg herunter. Moosgruber reißt den Mund auf, ringt nach Luft, flüstert mit letzter Kraft »Hammel!« und stolpert weiter.

Vor dem kleinen, längst verlassenen und inzwischen fast zugewachsenen Plateau der früheren Höllalm verlöscht inzwischen die Laterne. Ein leises Klopfen an der Tür des Kasers, dreimal, mit kurzem Abstand. Lange rührt sich nichts, dann quietscht eine Tür in den Angeln. Eine rauhe Männerstimme, nicht besonders leise, nicht besonders freundlich: »Bist endli da? I verreck scho vor Kohldampf!« Dann ein gieriger Griff in den Proviantsack. In der einen Pratze den Speck, in der anderen die Schnapsflasche – der Ausgestoßene, der Höhlenbär verlängert sein Leben.

Wie lang?

Auf der Bank, jetzt ganz klein und zusammengesunken, hockt die Mutter dieses dreckigen, bärtigen Ungeheuers, die Finger ums kleine Silberkreuzl auf der Brust gekrampft, auf daß sie diesen Anblick ertrage.

Im Hinabwürgen, Hinabgurgeln der Bärtige: »Hast aufpaßt? Hat di koana g'sehn? San d'Grenzer no da? 's nächstemal bringst ma an Kompaß und a Schaffel. I muaß weiter. Hast mi verstandn? Weiter muaß i, eh's einschneibt!«

Zwischendurch ein Sprung ans Fenster; äugen, verhoffen, beruhigen; der derbe, muskelbepackte Kerl, schon immer ein dreiviertelter Neandertaler, hat sich in den Wochen der Ächtung gänzlich zum Raubtier verwandelt.

Die Frau fröstelts.

Inzwischen hat Moosgruber den Rand der Höllalm erreicht, späht hinüber zum Kaser, der wie ein dunkler, drohender Batzen zwischen den Bäumen liegt – und weiß, woran er ist. Er wirft sich halbtot hinter einen Baum und streckt die Beine aus. Er ist mit sich zufrieden. Eh er absteigt, die voreilig abgeblasene Polizeiaktion wieder in Gang zu setzen, diesmal mit besten Erfolgsaussichten, nimmt er noch einmal das Glas vor die Augen.

Diese kleine Bewegung kostet ihn das Leben.

Die Okulare erzeugen ein winziges, schwaches Gefunkel in der Nachtschwärze des Waldes, nicht heller als die Spur eines Leuchtkäfers, aber das Raubtier drüben eräugt es sofort.

Ein Tigersprung hinauf zum Kreister, Griff unter die Wolldecke, die Kammer des Stutzens klickt auf. Die Frau fährt in die Höhe, öffnet den Mund…

»Da is oana draußt! Halt ja 's Maul, sunst…«, zischt's aus dem Dunkel, dann knarrt die Stalltür. Stille.

Als der Polizeimeister Moosgruber hinter sich ein Geräusch hört, ein kurzes, trockenes Knacken, so als wenn ein Sicherungsflügel umgelegt wird, ist es bereits zu spät. Er fingert an der Pistolentasche, bekommt noch den Griff zu fassen, will sich auf die Seite wälzen, da schlägt ihm ein Blitz in den Rücken – aus!

130

Der Doppelmörder repetiert, sichert lange, traut der Stille nicht, die nach dem Donnerschlag des Schusses schwer und bleiern über die Alm gesunken ist. Als sich nichts rührt, weder Laut noch Bewegung, tritt er zum Toten, nimmt ihm Pistole und Munition ab, und schleift ihn an den Füßen zur nächsten Dickung. Dann pirscht er im Schatten der Randbäume zurück zur Alm.

Wie eine Furie fährt ihm das Weib entgegen: »Was hast to?«

Seelenruhig der Bärtige: »Was soll i scho to habn? Derschossn hab i'n, den Schnuffler. Hättst besser aufpaßt, nacher lebert er no.«

Die Frau schaut ihn an, unbegreiflich, unfaßbar wird ihr dieses Wesen. Und er, der Raubbär, trommelt sich auf die Brust, fletscht die gelben Zähne und grinst:

»Wer moanst, daß 's gwen is? Des derrats net, ha? Da Mooserl wars, da g'wamperte Hund!«

In diesem Augenblick verlöscht der letzte Funke in der mütterlichen Brust. Das Herz vereist ihr. Eine archaische Gestalt steht in der Sennhütte, die Richterin, schwarz, mit schneeweißem Maskengesicht: »Verflucht bist!«

Er schüttelt sich ab, greift zur Schnapsflasche:

»Liaba verflucht, als wia hi!«

Da knüpft sich die Frau ihr Kopftuch fest und lädt sich die Kraxe auf den Rücken. Er sieht ihr lauernd zu. Ihr Verhalten erscheint ihm unheilvoll. Wortlos geht sie.

Der gejagte Verbrecher hatte es sich angewöhnt, jeder Bedrohung mit den schnellsten und absolutesten Mitteln zu begegnen. Der Gewehrkolben springt ihm in die Schulter, das Korn zeigt auf den Schatten, der sich eilig über den Almboden fortbewegt, doch fehlt ihm der letzte

Rest zum Aberwitz, zum Irrsinn; zähneknirschend läßt er den Stutzen sinken.

Die Nacht verbarrikadiert er sich im Kaser, säubert die Waffen, legt die Munition griffbereit, säuft die Flasche Birnschnaps aus und bereitet sich vor zur Amokschlacht.

Gegen fünf Uhr früh wird der junge Polizeiwachtmeister Brettschneider aus dem Bett geläutet. Eine alte Bauersfrau steht vor der Tür und begehrt eine Aussage zu machen in der Sache Jäger Bacherl. Brettschneider hockt sich gähnend an die alte Schreibmaschine. Nach dem letzten Satz zittern ihm die Finger, der kalte Schweiß tritt ihm auf die Stirn. Mit ruhiger Hand schreibt die Frau unter das Protokoll ihren Namen: »Theresia Spieß, Höblbäuerin.«

Dann rast das Telefon. In weniger als einer Viertelstunde sind Kriminalaußenstelle, Landpolizei, Zollgrenzschutz und Forstbehörde alarmiert. Automotoren springen an ... Sirenen heulen auf... Das Kesseltreiben auf den Doppelmörder Spieß beginnt.

Wenn auch Spieß den Höllkaser über Nacht zu einer wahren Festung ausgebaut hat, rechnet er im Innersten nicht mit dem Erscheinen der Polizei. In aller Gemütsruhe frißt er die fetten Bauernrohrnudeln, die ihm seine Mutter samt Speck, Brot und Kartoffeln den Berg heraufgeschleppt hat. Dabei läßt er aber den Waldrand nicht aus den Augen. Gegen 9 Uhr vormittag taucht zwischen den Bäumen, noch außer Schußweite, ein Uniformierter auf, den Karabiner an der Hüfte; ein zweiter tritt neben ihn, ein dritter; alle drei schauen durch ihre Gläser.

Da weiß Spieß, was die Stunde geschlagen hat, drückt die letzte Rohrnudel hinunter, verflucht das Weib, das ihn verraten hat mit Worten, die selbst die Hölle erschauern lassen.

Scheinbar unschlüssig stehen die Beamten.

Spieß macht Zielübungen.

Da poltert es über ihm auf dem Dach, ein Stein rollt die Schindeln herunter, bleibt in der verfaulten Dachrinne hängen.

Spieß zuckt zusammen, rennt nach hinten, späht durchs Stallfenster.

Hinter dem alten Feichtbaum, an dessen Stamm eine alte, längst verrostete Wegtafel schief herunterhängt, sieht er eine grüne Mütze zurückzucken. Er schießt augenblicklich, und die Blechtafel fliegt surrend durch die Luft.

Ein Schuß antwortet.

Knirschend bohrt sich die Kugel in den dicken, eisenharten Holzbalken über dem Fenster. Eine Stimme schreit: »Spieß, kumm außa, du bist einkesselt!«

Seine Antwort: ein gezielter Schuß auf den rechten Rand des Feichtstammes, daß die Rinde auseinanderspritzt.

Wieder ein Gepolter oben auf dem Dach, abermals kollert ein Stein herab, fällt durch ein Loch auf den Heuboden. Das macht ihn nervös. Er rennt nach vorn.

Am Waldrand, etwas aufgerückt, stehen die drei Polizisten. Blickfänger, Lockvögel offenbar. Der wirkliche Gegner hockt woanders.

Es ist so, wie Spieß vermutet. Und er hockt in überaus günstiger Position, nämlich versteckt im dichten, flechtenbehangenen Geäst einer Bergtanne, mit freiem Schußfeld auf den ganzen Almboden. Es ist der Hauptwachtmeister Max Schinagl, früher Feldwebel bei den Gebirgstruppen und hochdekorierter Scharfschütze im Rußland-

feldzug. Er hat den altbewährten langläufigen Mauserre-
petierer mit sechsfachem Zielfernrohr vor sich in der
Astgabel liegen und wartet auf seine Chance. Er ist, falls
nötig, als Vollstrecker ausersehen.

Rechts von ihm, einen knappen Steinwurf von der
Hütte, aber für Spieß im toten Winkel und zudem bestens
geschützt durch einen moosbewachsenen Felskopf, ein
nicht minder wichtiger Mann: Wachtmeister Koller, ein-
geteilt als – Reizer. Und das ganze Orchester dirigiert ein
Landpolizeiinspektor, der seine Partitur dereinst im ju-
goslawischen Partisanenkampf bestens einstudiert hat.

Praktisch ist Spieß bereits jetzt ein toter Mann.

Wieder ein Stein, diesmal aufs Kaminblech. Fauchend
fährt Spieß herum. Am Stallfenster empfängt ihn Kugel-
schlag, er wirft sich zu Boden, das Geschoß reißt einen
langen Holzfetzen aus dem Brett.

Eine ernste, gemessene Stimme ertönt von hinten, vom
Kommandostand: »Spieß, ergeben Sie sich, wir sprengen
Sie sonst in die Luft!«

»Verrecka sollts allesamt!« knirscht Spieß, lädt durch,
späht, visiert, aber er findet nirgends ein Ziel; der erfahrene Inspektor hatte die Losung ausgegeben, daß Tapferkeit bei Dienststrafe verboten sei. Der rabiate, gemeinge-
fährliche Bursche habe sich quasi »selber zu erschießen«.

Und wieder tritt der »Reizer« in Aktion, sein Wurfge-
schoß trifft ins Kaminloch, poltert herab durch den ge-
mauerten Schornstein. »Volle Deckung!« schreit einer der
Polizisten.

Spieß wirft sich krachend unter die Bank und wartet
jeden Augenblick auf die Detonation.

Nichts.

134

Gelächter der Beamten.

Spieß zittert, die Wirkung des Birnschnaps ist verflogen, erstmals trägt er sich mit dem Gedanken an Flucht. Da kracht ein Schuß von der Frontseite her, ein Fensterladen splittert, knallt auf das Steinpflaster. Ein zweiter Schuß folgt, trifft die Türklinke, das Schloß fliegt aus der Schalung, wirbelt durch die Luft, zerschmettert die leere Schnapsflasche auf dem Tisch. In diesem Augenblick zieht der »Reizer« in wohldosierter Steigerung seiner Mittel die Abzugsschnur des ersten »Schokoladeneies« und läßt es mit sanftem Schutzer übers Dach rollen.

An einer der Schwerstangen bleibt die gefährliche Praline hängen und detoniert, Sekunden später, mit fürchterlichem Krach.

Staub, Balkenfetzen und zerborstene Schindeln kommen herunter; durch ein kreisrundes Loch kann Spieß geradewegs in den Himmel schauen.

Er kommt nicht dazu, denn Wachtmeister Koller hat eine zweite »Knallerbse« vorbereitet und kunstvoll wie eine Billardkugel durch das aufgerissene Dach in den Heuboden praktiziert, wo noch die Reste der letzten Mahd modern. Ein dumpfer, gepreßter Schlag; das halbe Dach hebt sich auf, dicke braune Rauchschwaden schlängeln sich durch die Hütte, irgendwo fängt es leise an zu knistern.

Da weiß Spieß, daß er verloren hat – und wagt den Ausbruch.

Unerklärlicherweise ist die Nordseite der Spießschen Festung von den Belagerern vernachlässigt worden. Hier sind weder Fenster noch Tür, und durch die Wand kann auch der bärenstarke Spieß nicht entweichen. Man hatte

dabei das kleine, tiefliegende, mit einem Holzbrett abge-
deckte Kellerloch übersehen.

Spieß entfernt von innen das verrostete Fliegengitter,
zwängt sich durch das enge Loch, zieht den Stutzen nach,
schaut kurz, und hechtet mit Riesensätzen über den Alm-
anger – Misthaufen, Brunntrog, Bretterzaun als Deckung
benutzend.

Die Überraschung ist groß.

Lange nichts.

Spieß gewinnt Boden.

Dann endlich von oben, vom Scharfschützenkobel, ein
einzelner Schuß. Spieß' Hut fliegt davon und dreht sich im
Kreise. Ehe Hauptwachtmeister Schinagl durchgeladen,
ist der Doppelmörder am Waldrand. Die nun einsetzende
Kanonade quittiert er mit höhnischem Gelächter.

Dann hat ihn der Bergwald verschluckt.

Durch Sprechfunk wird Verstärkung angefordert. Bereits gegen den frühen Nachmittag ist der gesamte Ge-
birgsstock umzingelt. Ein Aufgebot von annähernd Ba-
taillonsstärke, bestehend aus Landpolizei, Zollgrenzschutz und Bereitschaftspolizei bewegt sich bergwärts,
verstärkt noch durch Forstpersonal und Berufsjäger.

In Schützenreihe durchkämmen die Beamten den
Waldgürtel und erreichen, fast gleichzeitig und in ständiger Funkverbindung zueinander, die Hochregion. Der
Kordon ist so lückenlos und dicht, daß selbst eine Maus
nicht mehr durchzuschlüpfen vermag.

Inzwischen ist Moosgrubers Leiche gefunden worden.
Einschuß im Rücken, faustgroß das Ausschußloch vorn
auf der Brust. Der Polizeiinspektor nimmt seine Parole von
der »verbotenen Tapferkeit« zähneknirschend zurück.

Spieß kann mit Pardon nicht mehr rechnen.

Dem Doppelmörder bleibt nur der Weg nach oben. Sein Ziel sind die riesigen Latschenfelder an der Nordwestflanke des Bergs. Erreicht er sie vor Einbruch der Dunkelheit, so steht es 1 : 0 für ihn. Das Polizeiaufgebot würde in den umliegenden Almhütten Quartier beziehen. Unterdessen konnte er sich im Schutze der Nacht irgendwo durchschlängeln. Bei Tagesanbruch war er über der Grenze und auf dem Weg nach Süden.

Als Spieß den Kälbersteinsattel erreicht, die Stelle, an der er vor sechs Wochen den Jäger Bacherl seine schnelle Kugel kosten ließ, hat eine Gruppe der Zollgrenzpolizei bereits das Ramsenkar erreicht und besetzt die Zwangswechsel ins Lugertal. Spieß sieht die Männer wie kleine Spielzeugpuppen auf den Felsköpfen sitzen. Er wendet sich nach Süden, quert in höchster Eile die kahle Moserplatte und späht, ehe er weiterhastet, hinab ins steile Geröllfeld. Im gleichen Moment sieht er unten am Rande eines Latschenstreifens Gewehrläufe blitzen und hört leise Kommandostimmen. Blitzschnell geht sein Kopf zurück.

Wohin?

Er überlegt kurz.

Dann faßt er den mörderischen Entschluß, in die wilden, brüchigen, völlig unwegsamen Mandlwände einzusteigen.

Mit dem Instinkt des Bergmenschen findet er auf Anhieb ein Querband, das ihn schräg durch die übersteile Gipfelwand führt. Wie er den berüchtigten »Pfeiler« ohne Seil und Haken, das Gewehr auf dem Rücken, umging oder überkletterte, das konnte sich später niemand erklären. Jedenfalls taucht Spieß total abgerissen, aber bei völliger Gesundheit im Drischllahner auf und ist damit kurz vor

dem Ziel, den gewaltigen Latschenwäldern des Drischlkopfs, einem Gamsreservoir ersten Grades, dem größten und dichtesten Wildeinstand des gesamten Gebirgsteils.

Spieß setzt gerade zur Überquerung der letzten hundert Meter eingesehenen Geländes an, da macht er eine Beobachtung, die dem abgebrühten Burschen die Haare zu Berge treibt: Über den Berg herauf, die Schnauze am Boden, die rote Zunge weit aus dem Rachen hängend, trabt ein riesiger schwarzer Wolfshund.

Irgendwo von unten ertönt ein Pfiff, im nächsten Augenblick steht das Tier wie festgenagelt, legt sich flach auf den Boden, starrt mit gelben, durchdringenden Sehern zu ihm her. Spieß nimmt langsam den Stutzen vom Rücken.

Im gleichen Augenblick taucht ein zweiter Hund auf, gedrungener noch, noch breiter in der Brust; links davon ein dritter, rechts ein vierter, an der Außenflanke ein fünfter, dieser hochbeinig, von gelbgrauer Decke, mit altem grimmigem Gesicht. – Wölfe ... durchzuckt es Spieß.

Und der Mann, der das Gefühl der Angst zeit seines Lebens nicht gekannt hat, weil ihm die Natur den Brustkasten eines Gorilla geschenkt, steht gebannt in panischem Schrecken.

Die Tiere, es sind inzwischen sieben Exemplare geworden, dirigiert von einem unsichtbaren Herrn, handelnd wie Marionetten, beginnen ihn kunstvoll einzukreisen.

Ehe sich Spieß versieht, ist er belagert.

Jedes der Tiere liegt nun flach an den Boden gepreßt, fast ohne ein Ziel zu bieten, nur die Rückenhaare drohend aufgestellt. Die breiten Schädel liegen zwischen den Pfoten; sieben Paar gelber Augen, aus denen weder Tücke noch Mordlust blitzt, aber höchste Aufmerksamkeit und kompromißloser Gehorsamswille, beobachten jede seiner Bewegungen.

Plötzlich ein Signal mit der Trillerpfeife, die Muskeln werden lebendig, tief geduckt, fast im Gleichschritt nähern sich die Tiere...

Spieß steht starr, wie in Hypnose.

Er sieht die breiten Lederbänder an den Hälsen, hört das leise Klingen der Karabinerringe, es hört sich an wie das Geklimper von Handschellen.

Da verliert der Brachialmensch endlich die Nerven, brüllt auf wie ein Stier, dreht den Stutzen um, stößt sich den Lauf mit voller Wucht in die Brust, drückt mit dem Daumen den Abzug zurück und bricht, ins Herz getroffen, tot zusammen.

Doppelmörder Spieß, gewalttätig sogar noch in der Selbstvernichtung, ist nicht mehr.

Was eine halbe Armee von Schwerstbewaffneten nicht zuwege gebracht, das schafften die Polizeihunde, die gebändigten Wölfe.

Aber als man Spieß noch am gleichen Tage auf einer behelfsmäßigen Tragbahre über Kälbersteinsattel und Höllalm, am Höberlhof vorbei hinunter ins Dorf bringt, da gelingt ihm, der längst starr und bleich unter einer Zeltplane liegt, in einer Zynik ohne Beispiel – noch ein dritter Mord: Als die Mutter, am Fenster stehend, die Kolonne aus dem Tobel in den Feldweg einbiegen sieht, anzuschauen wie eine Jagdgesellschaft, die einen erlegten Hirsch zu Tal begleitet, zerspringt ihr das alte, geschundene, mißbrauchte Herz. Die Arme am Fenstergitter, in der Stellung einer Gekreuzigten, holt sie der Tod.

Es übersteigt alle Vorstellungskraft, zu glauben, daß auch das Leben des Gewaltverbrechers Spieß einmal mit einem unschuldigen Kinderlachen begann. Und doch ist es so. Vielleicht läßt der Herr über Wald und Berge, über Mensch und Tier, dieses Lachen ein wenig hineinklingen in das schrille Gebimmel der Sterbeglocken, das diese finstere Alpenballade beendet.

Der krumm' Naz

Dr. Fortunat Birzl hat es bei der letzten Jagdversammlung ganz offen ausgesprochen: Der Prühmäusl Ignaz ist ein pathologischer Fall.

Und ein Blick in sein Jagerstüberl bestätigt es: das saumäßigste, hundsgemeinste, was ein mitteleuropäischer Rehbock aufhaben kann, hat der Prühmäusl Ignaz an seinen Wänden aufgehängt – Kümmerer, Abnorme aller Schattierungen und jeden Alters, vom »Korkenzieher« über den bleistiftdünnen Spießer, bis zum fast nicht mehr sichtbaren Knöpfer. Lauter windiges, schäbiges, schwindsüchtiges Zeugl und nicht ein einziges normalgewachsenes Rehg'wichtl.

»Wo er's bloß oiwei herbringt?«, sagte Dr. Fortunat Birzl, Pächter der Gemeindejagd Batzling-Süd, und schaute kopfschüttelnd in die Runde. »Bei mir herüben wächst sowas net.«

Schmiedemeister Johann Nepomuk Lampl, Prühmäusls nördlicher Reviernachbar, schüttelt den kurzgeschorenen, eisgrauen Schädel und murmelt: »Bei mir aa net. Ja, wo er's no oiwei herbringt?«

»Vielleicht züct' er's«, grinst der Landwirtschafts-Oberinspektor Balthasar Beinvogl, Prühmäusls östlicher Revierangrenzer, »indem er seine Goaßn selber beschlagt.«

Schallendes Gelächter am Jägertisch.

Denn in der Tat, Ignaz Prühmäusl, Uhrmachermeister seines Zeichens und Pächter der Gemeindejagd Batzling-Nord, war selber ein Kümmerer ersten Ranges, ein kleines, ausgetrocknetes Mandl mit einem mordstrumm Höcker, unglaublich ausgeprägten dünnen Säbelbeinen und einem zitronengelben, stets todernsten Spitzmausgesicht. Land-auf, landab war er nur unter dem Namen der »krumm' Naz« bekannt, was nicht unbedingt für die Pietät des bayerischen Volksstammes spricht, wohl aber für seine Gradlinigkeit und das Vermögen, treffend, wenn auch erbarmungslos, zu formulieren.

Der »krumm' Naz«, draußen im Revier anzusehn, als trüge er ständig einen überdimensionalen Rucksack auf dem Buckel, weil Höcker plus Rucksack praktisch zwei Rucksäcke ergaben, war ohne Zweifel eine sonderbare Erscheinung. Wer ihn einmal gesehen hatte vor der Wand seiner unnormalen, widersinnigen »Trophäen«, den mags abgeschüttelt haben, so fanatisch funkelten die kohl-schwarzen Augen, so geierhaft griffen die bleichen, spindeldürren Finger hinauf zu all den krummen, elenden Ausgeburten der Natur.

Der gute Dr. Fortunatus Birzl, wenngleich nur ein biederer bayerischer Landarzt ohne allzu große psychotherapeuthische Vorbildung, hatte ohne Zweifel recht: Ignaz Prühmäusl war ein pathologischer Fall.

Wie pathologisch er war, das allerdings ahnte damals niemand. Erst drei Jahre später kam's ans Tageslicht mittels einer Gerichtsverhandlung, die dem »krummen Naz« wegen fortgesetzter schwerer Jagdwilderei den Entzug des Jagdscheins, den Verlust des Reviers und sechs Monate »Sing-Sing« extra einbrachten.

Als er nach Hause kam, war er, so schien es wenigstens, wieder normal. Riß das ganze Geraffelzeug von der Wand, stopfte es in einen Sack und fuhr es hinaus auf den Schutthaufen. Dann stürzte er sich in sein Geschäft, das während seiner Haftzeit fast auf den Hund gekommen war. Wenn »mitfühlende« Nachbarn ihn fragten, »jetzt sag amal Naz, warum hast jetzt du...?«, griff er sich verlegen an seinen Adamsapfel, legte den Kopf schief und sagte mit leiser Stimme: »I glaab, i hab traamt.« Sonst nichts.

Was war nun überhaupt vorgegangen? Was war es für ein Traum gewesen, den der zwar immer schon etwas wunderliche, aber sonst überaus ehrenwerte Mann geträumt hatte?

Als anfänglicher Mitpächter der Gemeindejagd Batzling-Nord war Ignaz Prühmäusl lediglich durch seine außerordentliche Treffsicherheit aufgefallen. Es war, als hätte die Natur ihm als Ersatz für seine sonstigen Unzulänglichkeiten ein unwahrscheinlich scharfes Auge und ein traumhaft sicheres Reaktionsvermögen geschenkt. Als Jagdkamerad war er von den Geselligen keiner, aber stets von ruhigem, ausgeglichenem Gemüt. Schußneid, die berühmte Jägerkrankheit, genau so wenig auszurotten wie die Tollwut, war ihm fremd. Er bejagte seinen Begehungsteil still und ohne Aufsehen, ein namenloser braver Waidmann. Erst als er durch Ausscheiden seines Mitpächters alleiniger Jagdherr wurde, packte ihn der Eifer, und er machte sich mit Vehemenz an den Hegeabschuß, der damals gerade in Mode gekommen war. Seine jagdlichen Qualitäten, sein blitzschnelles Ansprechvermögen, gepaart mit einer enormen Schießkunst, prädestinierten ihn für diese Aufgabe.

Die ersten Knöpfer lagen auf der Decke, dazwischen gelegentlich ein schlechter Gabler, und manchmal, jedoch selten, ein älterer, meist überreifer Sechserbock.

Eigenartigerweise machte es ihm immer weniger Spaß, ein normalgewachsenes, sozusagen »schönes« Gehörn in der Hand zu halten. Er fand es langweilig, dieses ewig gleiche Gebilde, aus der ewig gleichen Substanz. Vielleicht kam hier ein lang gestauter Groll an die Oberfläche, ein Groll wider das Normale, Geglückte, das Auge Erfreuende. Man stelle sich seine Mißgestalt vor, den Spinnenmenschen mit der grausamen Höckerzier, und um ihn herum die lautere Natur, die Vollendung. Ist es nicht denkbar, daß sich seine Seele aufkrümmte wie eine Natter und, gleich wohin, einfach zubiß? Man weiß es nicht.

Jedenfalls waren durch des Naz' scharfe Hegearbeit die Kümmerer in seinem Revier immer seltener geworden. Und das Seltene reizt. Er stellte sich daher ganz auf die Bejagung der schlechten Böcke ein.

Mit der Zeit vergaß er den Sinn des Ganzen, vergaß überhaupt alles, vergaß Geschäft und Beruf, wetzte seine Schuhsohlen durch, hockte sich den Hintern wund, spähte, zitterte, maß, verwarf, fluchte…

Ernteböcke hohen Grades reiften heran in seinem Revier, sie ließen ihn kalt. Aber wenn irgendwo zwischen den Lauschern ein dünner Hornstift in die Höhe stand und dieser sich auch noch wurmhäßlich krümmte oder gar dreiviertel abgesplittert war, dann zischte er durch die Zähne, verdeckte sein gelbes Gesicht mit dem Hut, schlich, schlängelte sich heran mit unglaublichem Instinkt und ruhte nicht eher, bis er die ganze Nixigkeit samt der hastig abgeschlagenen Hirnschale in den bebenden Händen hielt.

Mehr und mehr verschwammen dem Ignaz Prühmäusl die Maßstäbe, die im menschlichen Dasein und damit auch im Bereich der Jagd Geltung haben. Was einen anderen zuhöchst erfreute, ward ihm zum bitteren Gram, was die anderen zutiefst enttäuschte, ließ ihn vor Seligkeit erschauern.

Er hatte das Negative gewählt – Schwarz war seine Farbe geworden!

Bald war es so weit, daß er seinem Revier alles genommen hatte, was die vorgeschriebene Form der Natur nicht erreicht oder übertreten oder zersprengt hatte. Die Öde des Vollendeten starrte ihn an und ließ ihn verzweifeln.

Eines Tages ging er die Reviergrenze entlang und schaute hinüber in des Dr. Fortunat Birzl unerschlossene Gefilde. Wie's der Teufel will, steht gerade ein Bock heraußen im Klee am Kreuzlholz. Dicker Träger, ausgeprägter Vorschlag, unten ein Trumm Pinsel, oben zwei dunkelbraune, fast verfaulende Hornstifte – ein übersehener, ein dutzendmal durchgerutschter, durchgeschloffener alter Buschveteran.

Es war dem Ignaz Prühmäusl, genannt der »krumm' Naz«, in diesem Augenblick nicht anders zumute als dem erzleidenschaftlichen, aber über Nacht völlig mittellos gewordenen Raritätensammler, der vor dem Schaufenster einer Kunsthandlung steht und ein altes, atemberaubend kostbares Schnitzwerk betrachtet: »Sakra, des waar was! Sakra, wenn i a Geld hätt!«

Er schaut sich um. Kein Mensch weit und breit. Vor ihm die dünne Glasscheibe, dahinter das Kostbarste vom Kostbaren, der Schatz der Schätze. A wengl dagegenlehnen, a wengl hindrucken mit der Schulter ... ein schneller Griff ...

Nein, es war anders! Es war noch drastischer! Es war noch verführerischer! Es war gar kein Glas da! Keine direkte Absicherung, keine direkte Trennung zwischen Mein und Dein! Hier a Graserl, dort a Graserl. Hier Bäum', dort Bäum'. Ganz genau die gleichen. Was heißt überhaupt Revier? Was heißt überhaupt Grenze? Alles Machwerk, alles Einbildung!

Prühmäusl Naz tat einen Schritt und stand sozusagen – im Laden. Kein Widerstand! Kein Alarm!

Da streckte er die Hand aus...

So ähnlich muß es gewesen sein damals. Und so ging es dem Naz noch öfter. Er stand da, schaute sich um, drückte sozusagen das Glas ein und – griff zu!

Er plünderte die »Schaufenster« nach Süden, dann nach Westen und zuletzt nach Norden. Die Raritäten, oder was er dafür hielt, fanden an seiner Wand keinen Platz mehr. Er lagerte sie in Kisten im Keller ein. Dabei wurde seine Besitzgier immer größer, immer quälender. Schlechtes, Abnormes genügte ihm nicht mehr. Nichts! Das war es! Die letzte Steigerung!

Er suchte den Bock mit dem »Nix«!

Unterdessen war er von einer Grube in die andere gestolpert und hatte neben Anstiftung zur Hehlerei und fortgesetzter Wildmarkenfälschung sämtliche Tatbestände erfüllt, die einen schweren Wilddiebsfall kennzeichnen. Er konnte sich das Ende selber ausrechnen. Aber er rechnete nicht. Er schlich mit eingetrocknetem, zitronengelbem Gesicht durch die Wälder und suchte den Überbock, den Unterbock, den Aufgelösten, nicht mehr Vorhandenen – den »Nix«!

»I glaab, i hab traamt!«

Es muß wohl so gewesen sein. Ein Traum, pendelnd, balancierend am Rande des Irrsinns.

Das schließliche Erwachen besorgten die schwieligen, eisenharten Pratzen des Schmiedemeisters und Revierinhabers Johann Nepomuk Lampl.

Und selbiges geschah wie folgt: Prühmäusl Naz hatte mit voller Berechnung seine Unternehmungen in die Mittagsstunden verlegt. Das erwies sich in zweifacher Hinsicht als vorteilhaft: Einmal standen gerade die alten zurückgesetzten Böcke zur faulen Stunde gern zu einem kleinen Imbiß heraußen auf den heimlichen Lichtungen und Waldwiesen, zum andern waren die Hochsitze um diese Zeit mit annähernder Sicherheit unbesetzt. So gelang es ihm, in den angrenzenden Revieren jahrelang jenen radikalen »Hegeabschuß« durchzuführen, der von den dortigen Pächtern teils aus Zeitmangel, teils aus Unvermögen nicht ernsthaft genug betrieben worden war. Weder der kugelrunde, asthmatische Dr. Birzl noch der klugscheißerische Landwirtschafts-Oberinspektor Beinvogel bemerkten den Aderlaß.

Wohl aber der alte erfahrene Waldhase Johann Nepomuk Lampl, der zwischendurch selbst gerne einen »Abnormen« im Rucksack nach Hause trug.

Ihrer zwei hatte er im Frühjahr ausgemacht, einen Einstangler und einen hochseltenen Perückenbock. Ehe er seinen alten Kipplaufstutzen richtig durchgezogen, waren sie fort.

Im nächsten Jahr das gleiche Malheur – ein hochinteressanter »Büffelbock«, dem das Gehörn fast waagrecht auseinanderstand, war plötzlich abgängig, ein Jahr darauf fehlte ein weiterer Einstangler und ein unwahrscheinlich alter, bulliger Raufer, genannt »der Zwidere«.

Dem alten Lamplvater kam des Dr. Birzl Ausspruch vom »pathologischen Fall« in den Sinn, und er richtete sein abgewetztes Binokl fortan weniger auf das Wild, als auf den nördlichen Reviernachbarn.

Es war jedoch ein ausgesprochener Zufall, daß er, der samt seiner fast siebzig Jahre noch voll im Geschäft stand, am 10. August, am Höhepunkt der Blattzeit, mitten am Tag, in sein Revier kam.

Er hatte beim Frühansitz in der »Feuchten Wiesn« sein Glas an einem Aststummel hängenlassen. Als er das Glas, das ihn durch mehr als vierzig Jägerjahre begleitet hatte, noch unversehrt an seinem Platz vorfand, genehmigte er sich erleichterten Herzens ein kleines Mittagsschlaferl in Gottes freier Natur und ließ sich zu diesem Zwecke unter einem dichten, buschigen Elsbeerbaum nieder.

Die Hitze war groß, die Mittagsstille einschläfernd, bald fing der alte Muckl an zu sägen. Er sägte und sägte ... bis der Elsbeerbaum mit lautem Krach umfiel.

Oder was war es sonst gewesen?

Er richtete sich auf, starrte schlaftrunken hinaus auf die Lichtung, die grell im Sonnenlicht vor ihm lag.

Irgend etwas gefiel ihm nicht.

Er nahm das Glas, da sah er draußen im Grummet eine Bewegung. Er stellte scharf und erschrak: zwischen den halbhohen Stengeln der Kratzdisteln schlugen ein paar Rehläufe in die Luft. Es war gespenstisch anzusehn. Noch einmal zuckten die Läufe hoch, dann fielen sie kraftlos zur Seite.

Der alte Muckl rührte sich nicht vom Fleck.

Fast eine halbe Stunde verging, da stand plötzlich ein Mensch in der Wiese, ein kleiner, krummer, koboldischer Kerl, den Hut tief im Gesicht, lupfte das Reh in die Höhe und stieß im selben Augenblick einen höllischen, gottslästerlichen Fluch aus. Er hatte auch allen Grund dazu, denn was er im blendenden Mittagslicht, in versengender, schier überschnappender Leidenschaft für den Überbock, den Unterbock, für den Bock mit dem »Nix« angesprochen hatte, das stellte sich bei näherer Betrachtung als eine uralte, bullige, bocksgrindige Geltgeiß heraus ... vafluacht ... vafluacht ... dreimoi vafluacht!

Ehe der maßlos Enttäuschte die Flucht ergriffen, hatte ihn der alte Muckl schon am G'nack, hieb ihm mit einem fürchterlichen Schlag den Hut vom Kopf, drehte ihm den Schädel herum, daß der Halswirbel krachte und sagte: »Da schau her, der Naz!«

Das war alles, was der alte, wortkarge Lamplvater sagte, den übrigen Diskurs besorgten seine ungemein ausgeprägten, rußschwarzen Greifwerkzeuge.

Dann lieferte er den ganz toten »Bock mit dem Nix« und den halbtoten Prühmäusl Naz bei der Polizeiwache ab. Das weitere ist bekannt.

Aber der Fall Ignaz Prühmäusl ist noch nicht zu Ende. Nach fünf oder sechs Jahren, dem alten Muckl hatten sie längst das letzte Halali geblasen, wurde in der Gegend wieder gewildert. Und das Kuriosum war: diesmal verschwanden gerade die Superböcke, die Paradeböcke, die todsicheren Medaillenanwärter reihenweise von der Bildfläche. Niemand dachte an den kleinen, buckligen Prühmäusl Naz, den offensichtlich für alle Zeiten kurierten »Raritätensammler«.

Und trotzdem war er der Täter.

Eine gemeinschaftlich aufgezogene, regelrechte Dauertreibjagd brachte ihn, nach vielen Fehlschlägen, schließlich zur Strecke.

Natürlich blieb es nicht aus, daß der Richter wissen wollte:

»Jetzt sagns amal, Herr Prühmäusl, z'erst hat Ihnen a G'wichtl net schäbig genug sein können, und jetzt hams grad das Allerbeste haben müssen. Das versteh ich net ganz.«

Da zupft sich das krumme, schmächtige Mandl verlegen an seinem ungewöhnlich ausgeprägten Adamsapfel und sagt treuherzig: »I a net, Herr Richter, auf oamal hat's umg'schnackelt!«

Diesmal kam er zur weiteren Beobachtung in eine Heil- und Pflegeanstalt, und dortselbst wird er wohl noch einige Male »hin- und herg'schnackelt« sein, der Ignaz Prühmäusl, genannt der »krumm' Naz«, keiner der gewalttätigsten, aber gewiß einer der originellsten Wilderer Bayerns.

Duell auf der Schneid

Der Summererhof steht im hintersten Winkel eines schmalen Gebirgstales, sozusagen als dessen Abschluß. Ein imponierender Abschluß, eher Trutzburg als Bauernanwesen. Auf breiten Felsquadern ein kastellartiger Aufbau aus schweren, grobbehauenen, fast schwarzen Fichtenbohlen; winzig wie Schießscharten die Fenster, weit herausragend das Vordach mit den kunstvoll geschnitzten Dachrinnen. Stall, Scheune, eine ineinanderfassende, sich gegenseitig tragende Konstruktion aus schwerstem Gebälk; einziges Zugeständnis an die moderne Zeit das verzinkte Blechdach über dem Wohnteil und der kupferne Stachel des Blitzableiters über dem First.

Vom Summererhof bergwärts, nach allen Seiten nichts mehr als Wiese und Wald, und über den blau verdämmernden Bäumen einsam, gewaltig, die Hochregion.

Wahrlich, ein Königreich!

Doch stehen darüber, wie über so mancher Herrlichkeit dieser Erde, die Worte: Es war einmal.

Heute nämlich ist der Summererhof eine Fremdenpension. Der größte Teil der Bergwiesen ist aufgeforstet, ein weiterer Teil verpachtet ans Forstamt zur Wildheugewinnung. Im Stall, der einst gepfercht voll war von Scheckvieh und schweren Rössern, stehen noch ganze drei Kühe als Milch- und Butterlieferanten für seine Majestät, den Kurgast.

Die einstige Bauernfestung ist ein Gästehaus, der einstige Herr über Wald und Feld ist ein Diener geworden, der sich mit gut einstudiertem Buckler nach dem Befinden des Herrn stellvertretenden Sparkassenzweigstellenleiters und der Frau Justizoberinspektorswitwe erkundigt.

Aber dieser Buckler, so schwer er fiel, war lebensnotwendig. Ohne Dienstboten, ohne die Möglichkeit des massiven Maschineneinsatzes hätte den Summerer sein eigener, riesiger Besitz allmählich erdrückt. So stieg er rechtzeitig von seinem Podest, ähnlich dem Schloßherrn, der mit den Trinkgeldern der Neugierigen den Mörtel für die Burgmauer finanziert, und rettete damit wenigstens die Heimstatt.

Im Frühstückszimmer, einstmals die gute Stube der Summerer, hängt in einem schweren Goldrahmen, inmitten einer Unzahl von Jagdtrophäen, ein Ölportrait des Großvaters des heutigen Pensionsinhabers, Johann Baptist Sperr.

Dieser Johann Baptist, ein Riesenmannsbild mit wildgeschwungenem, hellrotem Schnauzbart und kühner Adlernase, war dreierlei, und das alles mit gleicher Leidenschaft, mit gleicher Wucht, mit gleichem Trotz: Bauer, Jäger und – Wilderer!

Auch er stand dereinst vor der Notwendigkeit, eine Einschränkung vorzunehmen, eine Treppe herabzusteigen von seinem Postamentl, einen wenn auch nur unmerklichen Buckler zu machen.

Er machte ihn, vielleicht von der Unentrinnbarkeit des Schicksals überzeugt, vielleicht aber auch nur aus der

Stimmung eines Augenblick heraus, nicht – und bezahlte dafür mit seinem Leben.

Ein Leben, vierzigjährig, gesegnet mit Gesundheit und Wohlstand, angesehen im ganzen Land.

Dicht vor seinem Bildnis, sozusagen Aug in Aug, und von Mann zu Mann, forschend in der Landschaft seines Gesichtes, beginne ich meine Erzählung:

Johann Baptist Sperr brauchte nur den Stutzen vom Haken zu nehmen und die Haustür öffnen, dann lag das Jagdrevier vor seinen Füßen. Schon sein Vater hatte das Jagdrecht auf eigenem Grund und Boden beansprucht, und ohne große hegerische Ambitionen als Erholung und reine Lustfrönung ausgeübt. Der Sohn tat desgleichen. Aber anders als der Vater, der die Jagdgrenze streng respektierte, machte Johann-Baptist der Jüngere gelegentlich einen Pirschgang ins nachbarliche Revier, das einem fernen Regenten gehörte, der zwei- oder dreimal im Jahr mit zahlreichem Gefolge zu den Brunftjagden erschien, im übrigen aber seine Förster und Jagdgehilfen schalten und walten ließ wie sie wollten.

Im Eigenjagdbezirk der Summerer stand nur Rehwild als Standwild. Rotwild kam als Wechselwild vor. Was an Hirschgeweihen in der Jagdstube hing, das hatten sich die Summererbauern in kalten nebeligen Spätherbstnächten an den Rändern der hochgelegenen Wiesen und Felder zähneklappernd ersessen und mit lebenslangem Rheumatismus teuer bezahlt. Niemals aber, auch nicht in den strengsten Wintern, war ein Gams ins Revier eingewechselt. Demgemäß fehlten die schwarzen, gehakelten Hörner an der Trophäenwand. Sperr senior störte diese Tatsache bis an sein Lebensende nicht. Sperr junior störte sie allezeit, und kaum daß der alte Summerer tot war, noch im gleichen Winter, hing die erste Gamskrucke neben dem letztjährigen Achterhirsch.

Und von nun an kamen in regelmäßiger Folge ein bis zwei Krucken pro Jahr dazu.

So sehr nun die Gamskrickerl das Jagerstüberl der Summerer bereicherten, so wenig förderlich waren sie dem Haus. Etwas Ungutes, Unsauberes war eingedrungen. Spannung, Ärgernis und Angst lagen allezeit in der Luft.

Warum, Summererbauer, so frag ich dich in dein stummes Gesicht hinein, warum reichte dir deine wunderschöne Jagd, dein herrliches Rehparadies nicht mehr? Was zog dich hinauf ins Unwirtliche, in die kahle Region, auf die Schneid, wo der kalte Wind pfeift? Er schweigt, nur die Augen glimmen seltsam wie glühende Kohlen im tiefbraunen Gesicht.

Kann es allein der Reiz des Verbotenen gewesen sein, der den hochangesehenen Mann durch die Wände und über Grate trieb, bis der Schuß hallte und der Bock in wilder Fahrt die steile Schneerinne hinabschlegelte?

War es Übermut, Tollheit, oder einfach ein dummes, unbeherrschtes Spiel mit der Gefahr, heißer, leidenschaftlicher, unsinniger, je höher der Einsatz?

Kam's erst beim Wildern, in der Vermummung, im Schleichen, Abducken, Umherspähen, dieses süße, fast schmerzhafte Ziehen in der Brust, dieses verrückte, wilde Herzschlagen?

War sein Wildern eine höhere, intensivere Jagdlust, dreifach gesteigert durch die schwarze Maske? Oder die Überheblichkeit des Überstarken, die Kraftmeierei des Protzen?

Der Summererbauer, jedenfalls der in Öl gemalte, goldumrahmte, bleibt die Erklärung schuldig.

Zu verzeichnen ist indessen, daß Johann Baptist trotz gerissensten Vorgehens zweimal auf frischer Tat ertappt wurde, in nüchterner Einschätzung der Lage jedesmal seinen Stutzen fallenließ und dem Herrn Hofjagdgehilfen oder Königlich Bayerischen Revierförster brav auf die Gendarmeriestation folgte, sodann in Würde seine sechs bis acht Wochen Haft verbüßte und ohne jegliches Gefühl von Reue oder Scham alsbald – weiter wilderte. Die paar Flecken auf der Ehr genierten den Summererbauern, der zur Bekleidung öffentlicher Ämter weder Zeit noch Lust hatte, offenbar nicht.

Altersbedingte Einsicht und zunehmender Rheumatismus hätten wahrscheinlich des Summerers Wilderertaten einmal ein natürliches Ende gesetzt, wenn nicht der Regent, der Herr über ungezählte Gamsrudel, den Einfall gehabt hätte, einen neuen Jagdgehilfen einzustellen.

Dieser Jagdgehilfe war erwiesenermaßen ein Wilderer gewesen, und zwar einer der erfolgreichsten und rigorosesten jener Zeit. Seine moralische Beweglichkeit bewies er dadurch, daß er mit gleicher Leidenschaft und Tüchtigkeit, mit der er vorher die Gemsen seiner Majestät gezehntet hatte, nunmehr auf seine ehemaligen Wildererkollegen losging. Er trug den Namen Kasimir Brandler und einen Kipplaufstutzen, mit dem er »jeder Katz bei Nacht die Augen ausschoß«.

Er war ledig. Ende der zwanzig. Ohne jeden Anhang.

Es hieß von ihm, daß er einem Wilddieb zwei Sekunden Pardon gewähre, eine zum Gewehrwegschmeißen, die andere zum Kreuzschlagen. Wer das in zwei Sekunden nicht schaffte, war ein toter Mann.

Dieser Kasimir Brandler also trat im Königlichen Revier seinen Dienst an, und es sprach sowohl für seinen praktischen Sinn, als auch für seine Unerschrockenheit, daß er sich als erste »Amtshandlung« eine Liste der Vorbestraften und Verdächtigen anfertigte und diesen der Reihe nach einen Besuch machte.

Leutselig, ganz und gar unkriegerisch, erschien der drahtige, semmelblonde Bursch bei seinen künftigen »Klienten«, legte Hund, Rucksack und Gewehr auf der Hausbank ab, ließ sich ein Stamperl Schnaps einschenken und führte einen ganz und gar unbefangenen Diskurs. Erst zum Schluß hin kam er zur Sache, wurde ernst, bestimmt, gefährlich.

»Aber wildern tuast nimmer, gell, lohnt' si net!« Mehr sagte er nicht; klopfte die Pfeife aus, setzte den Hut auf seinen blonden Schopf und ging.

So setzte er seine Antrittsvisite fort von Gehöft zu Gehöft. Und sie blieb nicht ohne Wirkung. Der g'flaxte Kerl, wie er am Tisch saß, die schlanken, tiefbraunen Hände gelassen am Pfeifenkopf, die hellen Augen ruhig auf sein Gegenüber gerichtet, die Beine überkreuz, völlig ungeniert, und das in der Höhle des Löwen, das flößte Respekt ein, das ließ eiserne Ruhe und absolute Furchtlosigkeit erahnen. Manch einem genügte das, er ließ es auf die ominösen »zwei Sekunden« gar nicht erst ankommen und trug seinen Stutzen hinauf in die Kammer.

Als letzten in der Reihe hatte sich der unerschrockene Kasimir den Summererbauern aufgespart. Diese Rangordnung erfolgte wohlüberlegt, ein Blick durchs Fernglas vom Gegenhang aus hatte genügt: der Hof und der Mann, respektabel, überdimensional beide – hier wartete seiner ein harter Brocken.

Und sein Gefühl trog ihn nicht.

Als er den Hofraum betrat, empfing ihn der alte Schweißrüde »Stamperl« mit bleckendem Gebiß und gesträubtem Rückenhaar. Sofort ging auch der eigene Hund, eine Steirerbracke, in Angriffsstellung. Irgendwo im Haus schlug, hallend wie ein Schuß, eine Tür zu.

Da wußte der Jäger Kasimir Brandler, wen er vor sich hatte, drehte auf dem Absatz um und ging.

Damit war der Fehdehandschuh geworfen, der Krieg erklärt.

»Summererbauer, Mannsbild narrisches, borniertes«, bin ich versucht zu ihm zu reden, warum hast nicht nachgegeben? Er war im Recht, er, der Jäger!

»Was hoast Recht?« hör ich plötzlich einen tiefen Baß auf mich herniederpoltern. »Soll i mi ducka? Vor dem Bürscherl, dem hergelaufenen? Vor dem Kerl, der wo no sei Wildererjoppen anhat, bloß verkehrt rum? I hol mir mei Gams, so wahr i da Summerer bin!«

Aha, daher weht der Wind, Johann Baptist! Weil der Kasimir gewildert hat, darf er kein Jäger sein. Und weil er ein Jäger ist, ist das ein Unrecht. Und gegen 's Unrecht muß man anrennen, also geh i – wildern! Und wenn er mich dran hindert, der Judas, der dreckige, dann tuscht's, denn taat's i net tuschen lassen – taat er's...

Mit dieser ebenso unsinnigen, wie gefährlichen Argumentation im Gehirn muß der Summererbauer dann tatsächlich im nächsten Frühwinter, vom Gezeter seines Weibes und dem Geplärr der Kinder begleitet, hinaufgestiegen sein ins Königliche Gamsrevier, aber nicht zum zünftigen, lustvollen »Wuidln« und zum gemütlichen, braven Abführenlassen wie ehedem, sondern mit dem Vorsatz zum Widerstand und, wenn es nicht anders ging – zum Duell.

Als ob das grausame Schicksal die allmähliche Einkehr der Vernunft habe verhindern wollen, führte es Jäger und Wilderer gleich am ersten Tage zusammen, und nicht etwa so, daß einer den anderen »übersehen« konnte, ohne dabei sein Gesicht zu verlieren, sondern zuhöchst im Berg, auf freier Schneid, Brust an Brust, unabweisbar, unentrinnbar.

Vermutlich wird der junge, aber vielerfahrene Jäger aus des Summerers kreidebleichem Gesicht blitzschnell abgelesen haben, was in den nächsten Sekunden zu erwarten war.

Sein Stutzen flog an die Schulter, ihn fast überholend noch der des Summerers, dann krachte ein Schuß, dem ein zweiter wie ein Echo folgte – und stumm und schwer wie ein Baum fiel der Wilderer aufs Gesicht.

Der Jäger hatte wohl noch im Herabschwingen des Laufs, noch vor dem völligen Einvisieren den Drücker erwischt, pfeilschnell flog die Kugel und erreichte und zerriß das Herz; des Summerers Geschoß aber schlug ungezielt und ohnmächtig ins Gestein.

Aufkreischend strich eine Schar Dohlen über die Schneid.

Dann Stille.

Das Duell war ausgetragen.

Summererbauer, war es so? Mir ist, als nickte er mit seinem mächtigen Schädel und strafe damit die späteren

160

Märchenerzähler und Bänkelsänger Lügen, die auf den feigen Mord des »bösen Jagers an einem ehrbaren Bauersmann« auch im Falle des Herrenwilderers Johann Baptist Sperr nicht verzichten zu können glaubten.

Der frühere Wildschütz und spätere Wildererschreck Kasimir Brandler war indessen so kaltschnäuzig nicht, wie ihn vorauseilende Gerüchte angezeigt hatten. Er quittierte auf den Vorfall hin seinen Dienst, zog in eine fremde Gegend und übte wieder sein ehemals erlerntes Handwerk als Möbelschreiner aus. Nach glaubhaften Meldungen hat sein schneller Stutzen, weder so noch so, kein weiteres Wort mehr gesprochen.

Längst ist der furchtlose Kasimir tot. Alle, die damals lebten, sind tot. Tot ist auch die heiße, gefährliche Liebe der Bergler zu Stutzerl und Wilderermaske. Aber tot sind nicht der Starrsinn, der Übermut, die Dummheit, die Hybris.

In anderer Form, in anderer Maskerade toben sie sich aus.

Weil's mi g'freut hat!

Diese Verhandlung wird der Oberamtsgerichtsrat Hiergeist so schnell nicht vergessen. Und auch nicht der Herr
Staatsanwalt Dr. Händl. Und schon gar nicht der Vertei-
diger, Herr Rechtsanwalt Pellkofer. Echt bayrisch war sie,
diese Verhandlung.

Zuerst die Farben, lauter Grün: Forstgrün, Moosgrün,
Giftgrün, ausgebleichtes Grün und nagelneues Grün. Es
war, als wäre der Wald selbst in all seinen Schattierungen
und Jahreszeiten zu den Türen des steingrauen, nüchter-
nen Gerichtssaals der kleinen Kreisstadt hereinspaziert.

Und dann die Gamsbärte! So hohe, bereifte, unverschäm-
te Wachler hatte der Oberamtsrichter noch nie auf einem
Haufen versammelt gesehen. Wehmütig, ja neidisch, dachte
der alte Jäger und langjährige Pächter der Gemeindejagd
Hinterkatzlbach an seinen eigenen alten Hirschbart; ein
wahrer Bemsel (Pinsel) war der im Vergleich zu den zitternden, schwankenden Bartwäldern dort unter ihm.

Der Leser wird's schon erraten haben, was und vor wem
da verhandelt wurde: ein Wildererfall vor Wilderern;
pensionierten, verhinderten, tatsächlichen.

Die letzteren waren zu der Zeit, da diese Geschichte
spielt, schon in der Minderzahl, denn so lang ist er noch
gar nicht her – der Wilddiebsfall Josef Pölsterl.

Natürlich war auch das Jägervolk erschienen, das Forstpersonal der Umgebung und viele sonstige Freunde der Jagd. Aber nicht alle hatten Einlaß gefunden, der Wildereranhang, oder soweit er sich dafür hielt, hatte die Sitzplätze nach Öffnung der Saaltüren invasionsartig besetzt.

Und nun zur Hauptperson, dem Herrn Angeklagten selbst: mittelgroß die Figur, fast so etwas wie ein Wamperl unter der grünen Weste, an der ein Kranz Silbertaler dezent klimperte. Im runden, geröteten Gesicht eine kleine Kartoffelnase, drunter ein semmelblonder Bart, aus dessen Gefrans ein Paar vorstehende, grandlfarbige Hasenzähne schimmerten. Vom Kopf bis zum Genick fast eine Linie; ein unwahrscheinlicher Satthals sprengte den Hemdkragen auseinander, ein dicker Buschen rötlicher Haare zierte, an Stelle eines Krawattls, die edle Wildererbrust.

Ja Herrschaftseiten, schaut so ein Wildschütz aus?

Gemach meine Herren, jetzt kommt erst das Wichtigste: das Aug! Ganz klein und wasserblau, aber ungeheuer schnell hin- und herflitzend, alles erfassend, abschätzend im Sekundenbruchteil. Und die Hände, Fäuste, Bleifinger, ruhig und schwer, da lag der Stutzen fest wie ein Zementrohr.

Josef Pölsterl, genannt der Pfannenflicker Sepp, 34 Jahre alt, Kleinlandwirt im Haupt- und Kesselreparierer im Nebenberuf, Vater zweier unmündiger Kinder, stand heute zum erstenmal im Leben vor einem Richter.

Das sprach für seine Qualitäten, denn er hatte in den letzten acht bis zehn Jahren ununterbrochen und im schwersten Ausmaß gewildert. Auf saudumme Art erwischte es ihn schließlich. Und das kam so:

Der junge Gendarmeriewachtmeister Schuster hielt zwischen Enzmoos und Exing ein Motorrad mit Anhänger auf. Das Motorradl hielt gehorsam, und der Wachtmeister sagte zum Sepp, den er allsogleich erkannte:

»Dein Nummerntaferl is locker, Pölsterl, laß es festmachen, sonst gibt's Ärger.«

Sonst nichts, sonst sagte er nichts.

Ging bloß näher heran und betrachtete das Motorrad. Das Schönste an dem Vehikel war der Scheinwerfer. Ein Riesentrumm Scheinwerfer. Und drehbar. Auf einem kleinen Kugelgelenk ganz offensichtlich nach allen Seiten drehbar.

Komisch, dachte der Wachtmeister, sagte aber nichts und schaute weiter.

Der Anhänger. Gewöhnlicher Anhänger auf Speichenrädern mit Gummibereifung. Inhalt: zwei Kochtöpfe, diese mit einer alten Segeltuchplane zugedeckt. Also nichts Auffälliges. Aber irgend etwas war doch an dem Anhänger, eine Asymmetrie, ein Mißverhältnis zwischen der Größe des Aufbaus und dem Laderaum.

Schuster war sich im selben Moment im klaren, daß der Anhänger einen doppelten Boden hatte. Und auf der Segeltuchplane waren ganz deutlich zwei alte Schweißflecken erkennbar. Und am rechten hinteren Tuchzipfel klebten ein paar helle, lange Haare. Rehhaare? Und gestern war im Exinger Gemeindeholz ein schwarzer Schuß gefallen. Und überhaupt fielen seit Jahren schwarze Schüsse von Exing bis hinauf nach Wolperding, und die Hasen waren so selten geworden wie in Indien die Tiger.

Da warf der junge Wachtmeister Schuster einen Blick auf den geduldig dastehenden Sepp, die wieselflinken Äuglein, die bleischweren Pratzen, und er dachte, so könnte der Wilddieb eigentlich ausschaun, der seit Jahren in den Wäldern der engeren und weiteren Umgebung umging, ohne je erwischt worden zu sein.

Mit freundlichem Tip an die Mütze entließ er den Pölsterl: »Also, Sepp, laß es richten, gell! Und gute Fahrt noch!« In Gedanken versunken schaute er dem Motorradl nach. Anschließend Beratung beim Postenführer.

Am nächsten Morgen erschienen ihrer drei Mann im Pfannenflickeranwesen, grüßten freundlich, bewunderten das kleine saubere Sachl und die rundkopfeten Töchter (echte Pölsterlerzeugnisse), ließen sich von der Frau einen Schnaps einschenken, schauten rundum, und da war's auch schon geschehn: hinter dem alten, grüngekachelten Sesselofen hing – ein Hasenfell!

Postenführer Wagner stellte den Daumen auf, das war das Zeichen! Drei Stunden wühlten die Männer in des Josefs häuslichen Eingeweiden, der halbe Heustock wurde abgetragen – nichts. Dem Postenführer trat der Schweiß auf die Stirn.

»Woher hast das Fell? Gib's zu, Sepp, daß d' wilderst!« Pölsterl aber stand da und lächelte still:

»Wenn i an überfahrenen Hasen auf der Straß find, dann klaub i 'n halt z'amm. Oder soll i 'n stinkert werden lassen?«

Dem war nichts entgegenzusetzen, und Postenführer Wagner schaute betreten auf die herausgerissenen Betten und Schubläden und machte sich mit dem Gedanken eines Dienststrafverfahrens wegen Amtsmißbrauchs vertraut.

Wachtmeister Schuster, dessen ausschweifender Phantasie das ganze Fiasko zuzuschreiben war, machte noch einen letzten verzweifelten Versuch und öffnete die Tür

166

des Wandschrankls, das in keiner alten Bauernstube fehlt und meist alte Trächtigkeitskalender, Holzabrechnungen und sonstige Schmierfetzen beherbergt. Wenn schon net Wilderei, dann vielleicht a kleine Steuerhinterziehung, war seine schwache Hoffnung.

Wieder nichts! – Oder doch?

Warum war er auf einmal so kasig, der Sepp?

Noch ohne jeglichen Argwohn blätterte der Wachtmeister in dem mit grünem Wachstuch eingebundenen Schulheftl. Dann hockte er sich nieder, weil ihm die Knie zitterten. Und dann sagte er zum Pölsterl, der regungslos wie ein Holzklotz dastand:

»Sepp, jetzt hat's dich erwischt. Des Heftl is dein Untergang.«

Dann wurde der Sepp schön brav in die Mitte genommen und verließ Weib und Kind und Haus und Hof mit leicht umflorten Augen.

Und jetzt steht er vor dem Richter. Und das bewußte Heftl hat der Herr Staatsanwalt vor sich liegen und blättert darin, nicht ohne gelegentlich zu schmunzeln, denn so leicht war ihm die Vertretung der Anklage noch selten geworden, wie im Wilddiebsfall Josef Pölsterl. Was er in Händen hielt, war nämlich nichts weniger als eine Buchführung, eine Wildererbuchführung von geradezu pedantischer Genauigkeit.

Aber nicht nur ein kaufmännisches Musterstückl mit Datum, Erlegungsort, Wildbretgewicht, Preis, Abnehmer, Zahlung und Außenstand hatte der Josef in schweren, aber gut lesbaren Schriftzeichen geliefert, sondern auch eine Abspiegelung seines jeweiligen Seelenzustandes, und dies nicht etwa in nüchterner Prosa, sondern gereimt, und nicht etwa in gewöhnlichem Bayrisch, sondern in Hochdeutsch, wenn auch nicht gerade in dem eines Rainer Maria Rilke.

Nun, da gab's nicht mehr viel zu verhandeln, das grüne Heftl sprach für sich. Das wußte auch der Sepp. Bockig und schmallippig hockte er auf der Sünderbank und zeigte, zum Kummer seines Verteidigers, von Anfang an keinerlei Bereitschaft, sich die Sympathien seiner Richter durch ein offenes Gemüt und reuiges Wesen zu erwerben.

Die Verhandlung nahm ihren Verlauf. Und nicht der Herr Staatsanwalt, sondern das grüne Heftl selbst übernahm die Anklage. Und wer's so sehen will – ein wenig auch die Verteidigung.

Angegangen war's in düsterer, fleischloser Zeit verhältnismäßig harmlos mit einem schlichten Feldhasen. Staatsanwalt Dr. Händl rezitiert:

»17. November 1947:

1 Has mit der Kugel geschossen. Abgegeben beim Moserwirt zu Exing. 3 Packl Amizigaretten. Der Hund kriegt nix mehr, der geizige.«

Dr. Händl schaute mit scharfem Blitzen der Brillengläser zu den Gamsbärten hinunter. Aber begreiflicherweise war der Moserwirt von Exing der Verhandlung ferngeblieben, ebenso wie die zahlreichen anderen Liebhaber zarter Rehrücken und Hasenkeulen, die befürchten mußten, in des Pfannenflickers unbestechlichen Journalspalten aufgezeichnet worden zu sein. Dr. Händl fuhr fort:

»Am 11. Dezember 1947:

1 Schmalreh auf der Straß nach Rettendorf hochblatt getroffen. Z'samt dem geflickten Waschkessel nachts zum Wimmerbäck in Zeiling gebracht. 2 Sackl weizenes Mehl

168

zu 20 Pfund, 2 Kilo Zucker, 5 Packl Amizigaretten. Bestellung für weiteres Reh entgegengenommen.«

14 Tage später war die Bestellung ausgeführt. 5 Flaschen echter Scotch Whisky waren der Lohn. Jetzt wurde der Josef, vermutlich vom ungewohnten Alkoholgenuß beflügelt, zum erstenmal lyrisch:

»Dreimal geschossen
und kein Schuß gefehlt,
die Jager verdrossen
und den Beutel voll Geld.
Juche und juchei,
der Wildschütz ist frei.«

»... gewesen!« knirschte der Herr Oberamtsrichter und Jagdpächter Hiergeist grimmig und bedeutete dem Herrn Staatsanwalt mit der Anklage fortzufahren.

»1. Juli 1948:
1 Has geblendet und sauber hingeschossen mit dem neuen Mannlicher Stutzen. 3 Flaschen Birnschnaps vom Höferbauern zu Kreiß und 5 Mark neues Geld extra.«

Dazu der dichterische Kommentar:

»Ich schieß, was ich will,
fehl niemals mein Ziel.
Wenn ich net bald schieß danebn,
tut's bald im ganzen Land
keinen Hasen und kein Reh nimmer gebn.«

Den ersten Fehlschuß, der den bayerischen Wildstand vermutlich vor der völligen Ausrottung bewahrte, tat der Pölsterl Sepp indessen bereits drei Tage später. In ehrlicher Zerknirschung vertraut er seinen Blättern an:

»Auf gut 100 Schritt ein Mordskasten Rehgoaß pfeilgrad gefehlt. Schäm dich, Wildschütz!«

Aber schon eine Woche später traf das flinke Kügerl wieder ins Ziel. Dazu Pölsterl in sympathischer Bescheidenheit:

»1 Rotwildkalb im Zellermösl in der Hoad (Heidekraut) angesprochen, sofort mit aller Kunst angepirscht und mittendrauf geschossen. Das macht mir so bald keiner nach!«

Tatsächlich hatte der Sepp einen sagenhaften Anlauf, und schon in der nächsten Nacht mußte ein armer Has dran glauben, und so ging es fort, Jahr für Jahr, durch Jagdzeit und Schonzeit; bis hinunter ins Niederbayrische dehnte der überall bekannte, beliebte und vor allen Dingen »preiswerte« Pfannenflicker Sepp seine meist nächtlichen Raubzüge aus.

Blatt für Blatt der grünen Memoiren wendete der Herr Staatsanwalt, zuletzt wurde er der Untaten fast überdrüssig und verlas nur noch nackte Daten und Zahlen, und hin und wieder, soweit es ihm psychologisch bemerkenswert erschien, eine poetische Einstreuung.

»Sonst noch was?« fragte der Herr Oberamtsrichter, dem inzwischen der Hals blaurot angelaufen war, den störrisch dasitzenden Angeklagten.

»Angeklagter, ich frage Sie, ob Sie etwas nachzutragen haben?«

Und als der Pölsterl wiederum schwieg:

»Also, dann rechnen S' z'samm, Herr Staatsanwalt!«

122 Hasen, 17 Fasanen, Gockel und Hennen, 2 Steinmarder, 1 Edelmarder, 3 Stück Rotwild und sage und schreibe 58 Rehe hatte der Pölsterl Sepp im Laufe seines Wildererdaseins, meist bei Nacht, mit Hilfe des starken Scheinwerfers an seinem Motorradl, weggeputzt, und

zusammen mit seinen gelöteten, reparierten Pfannen, Tiegeln und Eimern auch gleich selbst unter die Leute gebracht.

Dreimal waren ihm die Jäger schon ganz nah auf der Spur, dreimal schloff er aus der Schlinge, seine Selbstbewunderung wuchs mit jedem Treffer, nicht jedoch die Kunst des Reimens und die Gabe der Prophetie, wie aus der letzten Tagebucheintragung hervorgeht:

»Es war einst der Wildschütz Jennerwein.

Der Pölsterl wird noch besser sein.

Dem Jennerwein haben sie eins hinaufgezischt.

Den Pölsterl Sepp aber haben sie nie erwischt.«

Als der Herr Staatsanwalt Dr. Händl dieses letzte Poem mit schlecht verhaltenem Beben der Mundwinkel zum besten gegeben, löste sich die anfängliche Spannung im Gerichtssaal und schlug in allgemeine Heiterkeit um. Wildereranhänger und Jagerische, die sich bis dahin in einer Art verkrampften Fraktionszwangs feindlich angestiert hatten, hieben sich gegenseitig auf die mit gegerbten Hirschhäuten überzogenen Schenkel, und der »nie erwischte« Wildschütz Pölsterl sah mit Schrecken die Rückendeckung dahinschwinden, die in bayerischen Landen noch immer einem echten Wilderer zuteil wurde, wenn er, Jäger und Förster mit seiner Pirsch- und Schießkunst narrend, schließlich als aufrechter, ungebrochener Mann vor seinem Richter stand.

Pölsterl, dessen Sinn (zu seiner Ehre sei es gesagt!) in der Tat weniger nach milder Strafe stand, denn als leidlicher Volksheld abzugehen, versuchte zu retten, was zu retten war, und als ihn der Herr Vorsitzende schließlich fragte, warum und weshalb er in diesem wahrhaft schrecklichen und beispiellosen Umfang gewildert habe, wo doch seine bürgerlichen Geschäfte genügend abwarfen, um sich und seine Familie rechtschaffen zu ernähren, da sprang er auf seine stämmigen Beine, zog den Kopf ein wie ein Bummerl, der sich anschickt, die ganze Welt mit all ihren Gesetzen und Zwangsjacken über den Haufen zu rennen und rief mit lauter Stimme in den Saal:

»Weil's mi g'freut hat!«

Da war für einen Augenblick Stille, und der eine und andere auf den Zuschauerbänken beschäftigte sich mit dem Gedanken, was an diesem derben Menschenklotz wohl für Mächte gezupft und gezerrt haben mochten; die heiße, echte Mannerleidenschaft der Jagd, die Aufspiel-sucht des Scharlatans, die bloße schnöde Geldgier, oder alles miteinander?

Vielschichtig, abgründig ist der Mensch, nie zeigt er sich so deutlich, so erschreckend, wie vor den Schranken des Gerichts.

Dieses schien denn auch im Falle Pölsterl auf krankhafte Jagdleidenschaft, gemischt mit einer tüchtigen Portion gesunden Geschäftssinnes befunden zu haben; denn als die Herren in den Talaren nach auffallend kurzer Beratung wieder erschienen, da hatte der Pfannenflicker Sepp die Gewißheit, daß er für die nächsten zwei Jahre der Ge-fängnisökonomie als Kaninchenpfleger zugeteilt sei und außerdem an den Tierschutzverein eine Geldbuße von 1000 Mark in zumutbaren Raten zu entrichten habe.

Als sich der bisher kaum in Erscheinung getretene Ver-teidiger, Herr Rechtsanwalt Pellkofer, unter Hinweis auf den offenbar übersteigert romantischen Sinn und den mehr als einfältigen Charakter des Angeklagten – das

vorliegende Tagebuch hätte das hinlänglich bewiesen –
nach dem Grund des ungewöhnlich hohen Strafmaßes
erkundigen zu müssen glaubte, zog der Herr Oberamtsrichter und Jagdpächter der Gemeindejagd Hinterkazl-
bach, Alois Hiergeist, nun seinerseits den Kopf ein und sah
in diesem Augenblick genauso bayerisch-bullig und trut-
zig aus wie der Pölsterl Sepp selbst. Und es kam, freilich
nur seinen Beisitzern hörbar, ein dumpfes Wettergrollen
aus seiner Brust:

»Weil's mi g'freut hat!«

Der Wilddieb

Die Glocke von Vorderspringlbach hat ein besonders schönes, wohltönendes Geläut. Fast ein wenig zu laut, zu volltönig für das kleine Bergkircherl mit dem lustigen, kugelrunden Zwiebelturm. Die Glocke aber hat nicht nur einen bemerkenswerten Klang, sondern auch einen ebenso bemerkenswerten Namen. Sie heißt im Volksmund »Der Wilddieb«.

Wie die Gemeinde Vorderspringlbach dereinst zu dieser Glocke kam, und warum sie ausgerechnet »Der Wilddieb« heißt, das will ich hiermit erzählen.

Wenn man vom Kirchdorf und Gemeindesitz Vorderspringlbach nach dem weit abgelegenen Ortsteil Hinterspringlbach fährt, kommt man auf dreivierteltem Weg an einem Bauernhof vorbei, dem Hoadlhof, einem breiten, wahrhaft imponierenden Bauwerk. Hinter dem gewaltigen Scheunenanbau steht spielzeugklein und fast ein wenig g'schamig, das Jagerhäusl, grün die Fensterläden, über der Tür das obligatorische Hirschgeweih. Das Jagerhäusl gehört als Nebengebäude zum Hoadlanwesen, das seit fast zwei Jahrhunderten im Besitze der Oedstrasser ist.

Annähernd vierzig Jahre lang wohnte in dem winzigen Nebenhäusl der staatliche Revierjäger Leonhart Stumpf zur Miete. So zierlich wie das Häusl, so zierlich war der

Stumpf selbst. Und demgemäß nannte ihn jedermann
»Stümpfei« oder auch »Saxendi«.

Der »Saxendi« muß näher erklärt werden.

Stumpf war ein außerordentlich gottesfürchtiger und
kirchentreuer Mann, was unter Jägern nicht gerade die
Regel sein soll. Seine fromme Seele hinderte ihn allerdings
nicht, zur rechten Zeit wildhitzig um sich zu beißen, wobei
er den Übermut des Wiesels und die stille Gefährlichkeit
der Kreuzotter in sich vereinigte. Das verschaffte ihm
jenen Respekt, den man ihm ansonsten wegen seiner
mangelnden Stattlichkeit mit Sicherheit versagt hätte.

So leicht erregbar, so giftbissig der Stümpfei war, so
gebändigt, so herabgedrosselt waren seine Kraftausdrük-
ke. Ganz verzichten wollte und konnte er nicht auf dieses
beliebte Ablaßventil bajuwarischen Mannestums, und
nach mancherlei Experimenten hatte er sich auf ein leises,
zischendes, beißendes »Saxendi ... saxendi ...« einge-
pendelt.

»Saxendi« stellt die mildere Form des beliebten »Sak-
radi« und die härtere des weniger beliebten »Sapramet«
dar, welches von »Sakrament« kommt und hinauf- oder
besser hinabführt auf die Höllenleiter der Flüche zum
schauerlichen »Bluatssakrament«, zum sengenden
»Himmisakrament«, zum explodierenden »Kreuzsakrament« und im wahrhaft gotteslästerlichen »Himmi-
kreuzsakrament« einen gewissen Gipfelpunkt, oder besser
Tiefstand erreicht.

Das »Saxendi« also war der Blitzableiter, den sich der
kleine, hitzige Stümpfei zugelegt hatte, nicht ohne vorher
bei seinem väterlichen Freunde, dem alten Pfarrer Brettschneider von Vorderspringlbach ausdrückliche Geneh-

176

migung einzuholen. Da die gestauten Gefühle, sei es Verwunderung, sei es Freude, sei es Zorn bei einem staden, gewöhnlichen »Saxendi« nur in kleiner Menge abgingen, half sich Stümpfei dergestalt, daß er ganze Geschoßgarben von »Saxendi» abschoß, und dadurch mehr Erleichterung erzielte, als ein anderer mit einem einzelnen, böllerartigen Höllenfluch.

Soweit zur Herkunft und Anwendung des »Saxendi«, das sich wie ein roter Faden durch diese Geschichte zieht.

»Saxendi«, sagte Stumpf eines Tages zu seiner Frau, »im Jochberg stimmt eppas nimmer. I glaub, da geht a Wilddiab um.«

Stumpf hatte keine Beweise. Es war vorerst mehr ein Gefühl.

Ein halbes Jahr später entpreßte sich seinem Mund ein erneutes und diesmal bös gezischtes »Saxendi ... saxendi...«. Er hatte nämlich im G'sengmahder eine Geschoßhülse gefunden, die mit Sicherheit nicht aus der Patronenkammer eines Jagdberechtigten stammte.

Und nun häuften sich die Beweise:

Schweißspuren, Reste von Aufbrüchen, immer wieder ungeklärte Schüsse. Im Winter darauf trat der Aderlaß auch am Futterstadel eklatant zutage: es fehlten zwei gute Hirsche!

»Saxendi ... saxendi ... wenn i di derwisch!« zischelte Stumpf, nahm einen Anlauf und rannte der alten unschuldigen Futterstadelfichte in blinder Wut die Heugabel in den Leib, so daß sie mit zitterndem Schaft steckenblieb wie eine Saufeder.

Aber groß war das Revier, weit die Wege und verschwiegen die Berge. Es gab kein Telefon auf den Hütten, keinen Jeep; der kleine Jäger und sein Hund, winzig wie Mücken in der riesigen Bergkulisse, liefen sich die Beine aus dem Leib – umsonst.

Revierjäger Leonhart Stumpf ging trotz seines fast übermenschlichen Pflichteifers mit einem beträchtlichen Handicap in den Kampf. Sonntags, pünktlich früh um sieben Uhr, schritt er seit eh und je mit wachelndem Gamsbart über den Kirchplatz von Vorderspringlbach, trat durch das Portal, riß den Hut vom Schädel, tunkte den Finger in den Weihbrunnkessel und eilte sodann zu seinem Betstuhl, daran ein Messingschild mit der Aufschrift »Leonhart Stumpf, Revierjäger« von eines Waidmanns ungewöhnlicher Frömmigkeit kündete.

Dieser Gang zur sonntäglichen Messe, der ihn normalerweise mit Hin- und Rückweg gut drei Stunden Zeit kostete, war dem Manne so sehr Bedürfnis, daß keine Situation denkbar war, die ihn zum Verzicht hätte bewegen können. Nicht die Weisung des Forstamtsleiters, nicht die Bitte des Jagdgastes vermochten ihn zu beeindrucken. War es nicht zu umgehen, daß er übers Wochenende mit einem Jagdgast auf einer der Schutzhütten logierte, so schlich er sich mitten in der Nacht aus der Schlafkammer, rumpelte den Berg hinunter, stolperte über die Kirchenschwelle, schlug sein Kreuz, versank in Andacht und Erbauung, schnellte unmittelbar nach der Opferung in die Höhe, rannte den Berg hinauf, was die Lungen hergaben, und schlug dem eben aufgewachten Herrn Direktor oder Herrn Konsul, da es nun doch etwas zu spät sei, eine aussichtsreiche Mittagspirsch zum Mitterhörndl vor.

Dem Stümpfei, mochte er rennen wie ein Windhund,

fehlten zur Jagdaufsicht drei, vier Stunden. Und, wie die Erfahrung immer wieder zeigt – die wichtigsten!

Unterdessen ging der Wildfrevel weiter. Immer wieder fehlte ein Stückl, immer wieder ein schwarzer Schuß. Dazwischen längere Pausen. Der Jäger atmete auf. Da schlug der Wilderer erneut zu.

Stumpf war sicher, daß der Täter, und er vermutete aus mancherlei Hinweisen einen Einzelgänger, im Bereiche des Springlbacher Gemeindebezirks zu suchen sei, ihn, den Jäger genau beobachtete und das sonntägliche Interregnum rücksichtslos auszunutzen wußte. Er ließ die Kerle im Geist an sich vorüberziehn: Holzknechte, Kleinbauern, Schafhirten; lauter schnauzbärtige, hakennasige Augenzwinkerer, jeder, buchstäblich jeder konnte der Täter sein – und auch wieder nicht.

Oder hockte der Wildmörder unter den Honoratioren des Dorfes?

War es der Gemeindeschreiber, der Mesner, der Lehrer? Oder gar sein Hauswirt, der geldschwere Hoadlbauer, angesehener Bürgermeister seines Zeichens – oder gar der Herr Pfarr...

»Jessas Maria!« Schnell bekreuzigte sich der Jäger.

Der geheimnisvolle Wilderer aber tat weiter sein schreckliches Werk.

Ehe der Revierjäger Leonhart Stumpf dem Forstamtschef seinen totalen Bankrott als Jagdaufseher anmelden mußte, tat er in seiner Verzweiflung einen Gang zum alten Pfarrer Brettschneider, um eine befristete Dispens vom sonntäglichen Gottesdienst zu erwirken, so lang, bis er den »Sauhund« gefaßt habe.

Dem alten Pfarrer Brettschneider waren alle Schäflein

gleich lieb, die schwarzen wie die weißen, die mit und die ohne Jagdschein, er entbehrte nicht gern einen fleißigen Kirchgänger, und sah nicht gern einen vielleicht weniger fleißigen für längere Zeit ins Kittchen wandern.

Er lehnte den Dispensantrag rundweg ab.

Da sagte der Jäger Stumpf kurz und schneidend »saxendi« und verließ mit hochrotem Schädel das Pfarrhaus.

Am Sonntag darauf war sein angestammter Platz in der Kirche leer. Dem alten Pfarrer gab es einen Stich.

»Da muaß's aber brenna, saxendi!« murmelte er vor sich hin und war nicht mehr ganz bei der Sache.

Mit einem Stein in der Brust, schwitzend vor Schuldgefühlen und Gewissensbissen, pirschte der Stümpfei unterdessen durch sein Revier. Als er unter der Schwarzen Wand verhielt, hörte er von unten her das kleine, armselige Glöckerl von Vorderspringlbach zur Wandlung läuten. Bem ... bem ... bem ... tönte es herauf. So kläglich der Klang des Glöckerls war, so zerriß es ihm doch schier das Herz. Mit zugehaltenen Ohren schlich er sich weiter die Kühbergleite hinauf.

Ohne auch nur die Spur eines Wilderers zu sehen, traf er am späten Vormittag auf der Scheiblbergdiensthütte ein.

Am nächsten Sonntag derselbe Mißerfolg. Am übernächsten nicht anders. Da erkrankte der bis dahin kerngesunde Mann und wurde, ohne sichtbare Symptome eines Leidens – bettlägrig. Der alte Pfarrer Brettschneider kam zu Besuch, übersah die Lage mit einem Blick und flüsterte dem dahinsiechenden, zwischen Berufs- und Christenpflicht zermalmten Stümpfei etwas ins Ohr. Es muß etwas Wunderbares, besonders Heilsames gewesen sein, denn der marode Kerl zog blitzschnell die Beine an

180

und sprang mit einem jodelnden »Saxendi« pumperlgesund aus dem Bett.

»Aber wennst 'n hast, kimmst wieder!« lächelte Seine Hochwürden und empfahl sich.

Noch in der gleichen Woche gelang dem Revierjäger Leonhart Stumpf der große Fang.

Er beobachtete vom Torköpfl aus einen Mann, der im ersten Morgengrauen durch den Hoadllahner pirschte. Bald darauf fiel ein Schuß. Minuten später war Stumpf zur Stelle und sah einen Kerl zwischen den gespreizten Hinterläufen eines eben verendeten Rehbocks knien, in der linken Hand noch den Stutzen, in der rechten das feststehende Messer...

Stümpfei vergaß jede Vorsicht, vergaß alle Gebote und Regeln der Wildererbekämpfung, im Sturzflug landete er auf dem Rücken des Gegners, hieb ihm die Krallen ins Genick, so daß dieser glaubte, ein Adler habe ihn geschlagen, und, aufpfeifend wie eine Maus, Stutzen und Messer von sich warf.

Der rasende, völlig außer sich geratene Jäger aber grub seine Fänge immer tiefer in den Hals des Wilderers und ließ erst locker, als der Kopf des Burschen bereits schlaff auf die Seite zu fallen drohte. Dann erst riß er dem Kerl die bis zum Kinn herabgezogene schwarze Zipfelmütze herunter und schaute, fast rührte ihn der Schlag, in das blauangelaufene, aufgedunsene Gesicht des...

Ja, in welches wohl?

In das des Holzknechts und wilden Raufers Glaser Simmei?

In das des stad-lustigen Schafschmugglers Isidor Votz?

Des eitelblasierten Gemeindeschreibers Sowieso?

Des Schullehrers, Mesners, Pfarr...?

Nein, er schaute in das Gesicht – seines Nachbarn, des ehrenwerten Herrn Seraphim Oedstrasser, Hoadlbauer dahier und hochgeachteter Bürgermeister von Vorderspringlbach!

In der ersten Überraschung ließ Stümpfei den Hals des Ehrenwerten, Hochgeachteten los, und das war gut so, sonst hätte er ihm drei Tage später auf die Leich gehen können. So erholte sich der kräftige, wohlgenährte Endvierziger in der guten Bergluft erstaunlich schnell, so daß Jäger Stumpf ihn für fähig hielt, den Weg nach Vorderspringlbach auf eigenen Beinen durchzustehn.

Stümpfei, der jahrelang an der Nase herumgeführte, getäuschte, gedemütigte Jäger gedachte diesen Gang für den Wilddieb zu einem Märtyrergang, für sich selbst aber zu einem Triumphzug zu machen, der in Hinterspringlbach beginnen und vor der Gemeindekanzlei von Vorderspringlbach, das heißt, direkt vor dem Schreibtisch des Herrn Bürgermeisters enden sollte.

Er hing sich in seltener Hochstimmung den Wildererstutzen über die Schulter, steckte das Messer ein, griff die zwischen Blässe und Röte abwechselnde Amtsperson mit penibler Gründlichkeit nach versteckten Waffen ab und rief sodann barsch:

»Absteign! Vorwärts!«

Und als das Oberhaupt der 300-Seelen-Gemeinde noch zögerte:

»Wird's bald, saxendi nomoi!«

Dabei stieß er dem Herrn Seraph respektlos seinen Gewehrlauf in den Bauch.

In flottem Marsch ging's über den Hoadlsteig hinab ins

Tal. Je näher der ertappte Wildschütz den bewohnten Regionen kam, desto mehr schwitzte er. Ja, der gute Seraphim schwitzte wie eine Sau. Er blieb stehn und schaute zurück mit dem stummen, glotzenden Blick eines Kalbes, das zur Schlachtbank geführt wird, aber der Stümpfei kannte keine Gnade, schwang den Bergstock und brüllte:

»Vorwärts sag i, saxendi!«

So kamen sie dem Tale näher und näher.

Am Hirschbrunn, wo der Pirschpfad einmündet in die buckligen Hoadlwiesen, wurde der Seraph dann konkret:

»Brauchst nix mehr zahlen, Hartl, fürs Häusl, so langst lebst.«

Eisern schwieg der Jäger.

»I schenk dir ’s Häusl, Hartl, wennst mi laufen laßt.«

Noch eiserner schwieg der Jäger.

»... und an Garten dazua...«

Keine Antwort.

»... mit samt de Obstbaam bis zum Woid auffi.«

Nicht die geringste Reaktion.

»Hartl, i bin ruiniert. I ko mi aufhänga!«

»Da halt i dir no an Strick, du Lump«, brummte der Saxendi ungerührt, und dann waren sie unten am Wegkreuz, unter dessen lärchenem Schindldacherl ein leicht ramponiertes, mit Goldbronze überpinseltes Kruzifix hing. Gleich konnten die ersten Leute auftauchen.

Seraph machte noch einen letzten, verzweifelten Versuch, des Jägers Herz zu rühren, warf sich vor dem Kruzifix auf die Knie und bettelte:

»Wennst a Christ bist, Hartl, laßt mi laufen!«

Gerade wollte der Stümpfei den scheinheiligen Ha-

lunken mit einem ganz und gar unchristlichen Fußtritt zum Weitergehn auffordern, da ertönte aus dem engen Tal heraus, vom Ostwind hergetragen, das dünne, schwindsüchtige Gebimmel der Glocke von Vorderspringlbach.

»Horch, wia schön«, flüsterte Seraph mit einer Stimme wie Butter und Schmalz, »rührt's dir net 's Herz o, Hartl?«

»Nix rührt mi o«, sagte Stümpfei sachlich, »a Schand is des, de schöne Kirch und de armselige Schafglocken. Schama tua i mi, sooft i s' hör.«

Seraphim horchte auf, witterte Morgenluft.

»Warum schaffts euch nacha koa neue o?«

Der Jäger winkte kurz ab:

»Is koa Geld da, weiter jetzt, saxendi!«

Aber der schlaue Seraphim hatte an der ehernen Jägergestalt eine morsche Stelle entdeckt und stocherte hinein:

»Brauchts ja nur was sagen…«

Jetzt hatte der Stumpf Leonhart begriffen, und allerlei Überlegungen und Berechnungen gingen blitzschnell durch sein Hirn. Unterdessen bimmelte das Glöckerl weiter, bimmelte immer greller und häßlicher, bimmelte dem Saxendi mit seinem blechernen bem … bem … bem… die letzten Skrupel aus der Seele.

»Was gibst nacher her?« preßte er heraus.

Seraph, fast frohlockend:

»Fünfhundert auf der Stell, wannst mi auslaßt!«

Da stieß der Saxendi dem notigen Geldsack mit voller Wucht den Gewehrlauf ins Kreuz und donnerte:

»Fünftausend – und koa Markl weniger!«

Der zwar wohlhabende, aber durchaus sparsam wirtschaftende Hoadlbauer bäumte sich auf wie eine Natter.

Aber schmerzhafter noch als zuvor bohrte sich das kalte Mündungsloch des Stutzens in sein Rückgrat.

»Also guat, fünftausend«, stöhnte er, »aber jetzt laßt mi aus.«

»Nix da«, sagte der Stümpfei geschäftig, »des möcht i scho schriftlich.«

Und er hielt dem Herrn Seraphim sein kleines, abgeschmiertes Pirschnotizbüchl hin und dazu einen Bleistiftstumpen.

»Da schreibst jetzt nei, wia i dir's osag. Also: Ich, Seraphim Oedstrasser, Hoadlbauer und Bürgermeister der Gemeinde Vorderspringlbach – bist so weit? – spende für die neue Kirchenglocke 5000 Mark. Datum, Unterschrift. Hast d'as?«

Gehorsam, wenn auch nicht mit dem sonst gewohnten Elan, malte der Herr Bürgermeister seinen prominenten, oft geübten Namenszug auf das Papier. Der Saxendi aber steckte sein Notizbüchl mit schlecht gespielter Gelassenheit in die Joppentasche und sagte: »Und jetzt druckst di meinetwegen. Aber des sag i dir, wannst nochmal wildern gehst, kost di des an ganzen Kirchturm!«

Am nächsten Tag legte der Saxendi sein Feiertagsklüfterl an, steckte sich seinen längsten Gamsbart an den Hut und begab sich zum alten Pfarrer Brettschneider.

Er wollte gerade feierlich in die Tasche greifen, die kostbare Urkunde auf den Tisch zu legen, da winkte Seine Hochwürden lächelnd ab:

»Is scho da g'wen.«

»Und wiavui?« fragte der Saxendi in höchster Spannung.

Strahlend schrieb der alte Herr die Zahl mit dem Finger in die Luft: 5000!

»Saxendi«, sagte der Jäger, »dem hat's aber pressiert!«
Fünftausend runde Markln waren zu damaliger Zeit
auch für den reichen Hoadlbauern eine harte Nuß und
übertrafen um ein Vielfaches den Schaden, den er als
Wilddieb den ärarischen Forsten zugefügt hatte. Es er-
scheint daher begreiflich, daß das Verhältnis der beiden
Nachbarn zueinander fürderhin nicht zum besten stand.
Aber Zeit heilt Wunden.

Mit zunehmender Beanspruchung durch die Amtsge-
schäfte und wachsendem Bauchumfang ging der Seraph
auch seiner Wildererleidenschaft allmählich verlustig.
Und als die beiden alte Knaben waren, und heraußen
hockten auf der Hausbank, der Jäger vor seinem Liliput-
häusl, der Bauer vor seinem Hof, da waren sie sich längst
wieder gut. Wenn dann die Glocke von Vorderspringlbach
mit wohltönendem klong … klong … klong … herauf-
drang durch das lange, schmale Tal, dann rief wohl der alte
Hartl zum alten Seraphim hinüber:

»Hörst d' as, Seraph, da Wilddiab leut!«

Und Seraphim griff sich wie in schmerzlicher Erinnerung
an die Stelle, wo das Herz, aber regelmäßig auch die
Brieftasche liegt, und raunzte zurück:

»Fünfhundert hätten aa g'langt. Tuat eh viel z'laut des
Luada.«

Und er ging mit kleinen Trippelschritten ins Haus zurück.

»Und mir kanns net laut g'nuag toa«, brummte der
Saxendi, der inzwischen stark schwerhörig geworden war,
legte die Hände hinter die Ohrwaschl und lauschte in
Andacht und Zufriedenheit.

Sein letzter Gams

In dem kleinen Bergwirtshäusl »Zur Hirschwies« tagte eine zünftige Blasn: der Holzknecht Johann Eberwein, der Wegwart Simon Wurmstötter, der Revierjäger Anton Nogler und der Konzessionsinhaber der alten, windschiefen Klitschen selbst, seine Wenigkeit Matthias Stefflbauer, genannt der Steffl Hias oder kurz Steffei.

Dicker Tabaksqualm schlängelte sich durch die Wirtsstube, im moosgrünen Kachelofen krachten die feichternen Scheiteln, es war kalt geworden und ging auf den Winter zu.

Die Manner aber schienen vor inneren Hitzen zu glühen, rot leuchteten die kantigen Berglerschädel im Halbdunkel.

»Meine Darm san wia ausdrickat (ausgetrocknet)«, lamentierte der Eberwein Hansl, nahm den Maßkrug in seine riesige Pratze und ließ es »rinnen«.

Um die zwölfte Stunde saßen die Köpfe der vier Zecher locker auf den Hälsen, und die Zungen lagen schwer im Maul, aus den Pfeifenkaminen stiegen nur noch dünne Kringel, der Wurmstötter Simmerl fingerte schwerfällig nach seinem Geldbeutel, das ländliche Bacchanal neigte sich dem Ende zu, und Steffei, der Wirt, wischte mit seinem Jackenärmel die Brotzeitbrösel vom Tisch.

»Oamoi möcht i no an Gamsbock wildern«, sagte er

und schaute dabei wehmütig auf die schimmelfleckige Bildtafel an der Wand, die einen Wildschützen zeigte, wie er einen Gamsbock von der Größe eines Stierkalbes und den Schläuchen einer Bezoarziege vom Berg herunterträgt.

»Kannst as ja toa«, antwortete der Jagertoni leichthin, »i schau scho weg.«

»Brauchst gar net wegschaun, i holert ihn aso aa«, entgegnete der alte Wilddieb mit leicht erhobener Stimme, nahm seine lange Pfeife wie ein Stutzerl an die unrasierte Wange, drückte das linke Auge zu und machte den Finger krumm:

»Batsch ... is scho troffa! Waar ma net z'letz auf meine alten Tage. Und derwisch'n taatst mi net!«

Mitleidig schaute der Jagertoni dem alten Krauterer mit seinen zweiundsiebzig Jahresringen ins zerknitterte Gesicht:

»Vielleicht wenn i ma d' Augn zuabindat und d' Ohrwaschl verstopfat – und nacha is no net g'wiß!«

Da sprang der alte Steffei mit erstaunlicher Behendigkeit von seinem Stuhl auf, stieß dem Jäger sein Pfeifenmundstück vor die Brust und rief:

»Wettn, daß d' mi net derwischst!«

»Machts koan Blödsinn, morgen reut's enk«, mischte sich der stets bedächtig-überlegene Wegwart Wurmstötter ein.

»Nix reut mi!«, rief der alte Hias mit jugendheller Stimme, »an Gamsbock schiaß i, und oba trag i'n aa no!«

»Des müaß ma scho genauer fixieren!« sagte Eberwein Hans, der Holzknecht, geschäftig und rieb sich die ungeheueren Pratzen:

»Was is nacha, wennst koan Bock net derwischst?«

»Na zahl i an Fuchzger-Banzn!« schrie der Steffl Hias übermütig und hieb seine alte, schäbige Brieftasche klatschend auf den Tisch.

»Dann zahl lieber glei«, sagte lässig der Jäger und fingerte die Brieftasche zu sich herüber.

Da wuchtete plötzlich eine alte, knochige Faust herunter, batzte die nervige Jagerhand auf den Tisch. Ganz nah schob der alte Raubschütz sein rotbraunes Indianergesicht an das nicht minder martialische, aber bedeutend jüngere des Jagertoni heran und zischte:

»Nix zahl i, der Gams is so viel wia schon g'schossn!«

Das war dem Jagertoni zuviel. Solche G'spasettln vertrug er nicht. Eisig war seine Stimme:

»Tua was d' willst. Aber des sag i dir, Herr Steffelbauer – mit am Banzen Bier kommst net davo! Auf Wildern steht Gefängnis! Und jetzt geh i!«

»Halt!« rief der Eberwein Hansl, »des is a Wett', des muaß fixiert wern!« Und er holte geschwind einen Bleistiftstummel aus dem Hosensack, nahm ein Bierfilzl und schickte sich an zu schreiben.

»Hockts euch hin, sauff ma no oane!« ließ sich jetzt auch der Wurmstötter Simmerl vernehmen, und alsbald saßen die vier wieder in Eintracht vor den eilig nachgefüllten Bierkrügeln.

Tatsächlich entstand im Verlaufe der ersten und zweiten Morgenstunde des 1. Dezember in der Gaststube des Bergwirtshauses »Zur Hirschwies« ein höchst origineller und denkwürdiger Wettvertrag des Inhalts, daß ein gewisser Mathias Stefflbauer, Gast- und Landwirt dahier, spätestens bis zum 15. d. M. die Krucke eines im Bereiche des Eiblkopfgebietes selbst geschossenen Gamsbockes vorzuweisen habe, andernfalls er ein 50-Liter-Faß hellen Edelbieres stifte. Fernerhin verpflichte er sich, sich im Falle des Aufgriffes widerstandslos abführen zu lassen. Hinge aber besagte Gamskrucke spätestens am 15. d. M. abends 8 Uhr an ihrem Platz zwischen der großen Schützenscheibe und dem ausgestopften Spielhahn, so zahle die 50 Liter Edelbier – der Revierjäger Anton Nogler!

»Guat, 's gilt!« sagte der Jagertoni nach längerem Zögern, und ging dabei von folgendem, beruhigendem Gedankengang aus: Derwischt er nix, is guat. Schiaßt er an Gams und i derwisch 'n, verhaft i'n am Berg drobn. Derwisch i'n net, verhaft i'n herunt in der Wirtsstubn, neben der Krucken. Mir kann nix fehlen.

Als der Morgen graute, befand sich der Revierjäger Anton Nogler mit einem Riesentrum Proviantrucksack bereits auf dem Wege hinauf zur Eiblkopfhütte. Der alte Steffei hörte ihn, am hinteren Abortfenster stehend, den steilen Ziehweg hinaufschnaufen. »Lauf nur zua«, murmelte er, »mir packen des Sach andersrum«, schlüpfte unter die Bettdecke und schlief alsbald ein.

Gegen den späten Vormittag hatte sich der Jagertoni in seiner Hütte für einen Daueraufenthalt von vierzehn Tagen eingerichtet. Er schlang hastig sein Mittagsmahl hinunter und bezog sodann seinen Beobachtungsposten, einen Latschenschirm hoch oben am Weißen Wandl, der Ausblick auf den gesamten Komplex des Eiblkopfs sowohl sonnseits als auch schattseits gewährte.

Er hockte bis zur Dunkelheit, verbrauchte ein halbes Packl Landtabak, und stieg sodann ab zu seiner Hütte.

Nächsten Tags, beim ersten Dämmern, saß er bereits

wieder in seinem Schirm, das Glas vor den Augen, das Spektiv in Bereitschaftsstellung. Es gab keinen Grasfleck, keinen Graben, in den er nicht hineinsah; das Jagersteigl den Südhang hinauf lag in seiner ganzen Länge mit allen Windungen und Serpentinen im Bereich seines Glases, und kam der Steffei von Norden herauf über die Roßgräben, war er spätestens nach dem Verlassen der Baumregion identifiziert. Die Erfolgsaussichten für den alten Halunken waren gleich null, es sei denn, grob Wetter fiele ein und hinge seine Tarnkappe über den Berg.

Aber das Wetter hielt, der Föhn blies heiß über die Berge und drückte die Kaltluft nach unten. Träge saßen die Gamsrudel auf schattigen Lahnern und in kühlen Gräben herum; die Brunft schien bereits abgeflaut.

Vierzehn Tage hockte der Jagertoni nun schon hoch droben im Eiblkopf auf der Paß, ohne daß sich auch nur das geringste ereignete. Der Tabak war zu Ende gegangen. Lange kämpfte er mit der Versuchung, abzusteigen, um Nachschub heranzuholen. Mit beispielloser Tapferkeit überwand er sich, rauchte kalt und zerbiß dabei vor Kummer schier das Pfeifenmundstück. Noch immer kein Steffei. Zwei Tage noch, dann war's ausgestanden.

Am nächsten Tag, dem 14. Dezember, gegen 9 Uhr früh, fingen seine Finger plötzlich zu zittern an; über den Südhang, dem Jägersteigl folgend – kam ein Mensch herauf!

Der Toni nahm vorsichtig sein Spektiv aus dem Lederfutteral, zog aus, stellte den Bergstock unter, drehte am Okular und erkannte alsbald den graugrünen spitzen Filzhut, den der alte Steffl Hias Tag und Nacht auf dem Haupte trug. Die ausgewaschene, ehemals moosgrüne

Joppe und die schlotternde, tausendmal geflickte schwarze Zwirnhose gaben die letzte Gewißheit: dort unten pirschte der alte Steffei, den Stutzen unterm Arm, bei halbem bis schlechtem Wind, dem letzten Gamsbock seines Wildererlebens entgegen. Der allerdings mit annähernder Sicherheit auf der entgegengesetzten Seite des Berges, im steilen Gewänd der Roßgräben gemächlich vor sich hindöste.

Scheint nimmer recht in Übung z' sein, der alte Lump, dachte der Jagertoni, hielt es aber dennoch für gut, vorbeugend einzuschreiten. Er schloff aus seinem Schirm heraus, pirschte vorsichtig eine schmale Latschengasse hinab, querte auf einem alten, verwachsenen Steig hinüber zum Eibleck und hockte sich hinter einen abgespellten Wetterbaum, dergestalt, daß der alte Hias ihm direkt in den Büchsenlauf rennen mußte.

Schon steinelte es, schon wurde der graugrüne Spitzhut sichtbar; den Stutzen schußbereit, die schwarze Zipfelmütze mit den ausgeschnittenen Löchern im Gesicht, in der geliebten alten Maskerade lief der Steffei in sein Unglück.

»Halt, Lump, ergib di!« brüllte der Jagertoni laut, aber nicht übermäßig drohend in die Tiefe.

Hättet ihr den alten Steffl-Hias sehen sollen, den Haderlumpen, den abgefeimten! Ein Abducken, ein Zusammenrucken, dann ein Hupferer hinein in die Latschen – und fort war er!

»So war's net ausg'macht«, schrie der Jagertoni ihm nach, ein heißer Zorn packte ihn, und mit einem Riesensatz nahm er die Verfolgung des »vertragsbrüchigen« Steffei auf.

Ein altes, zahnluckertes Mandl mit zweiundsiebzig und hinter ihm ein hagerer, eisenflaxiger Bergbursch im besten Saft – das Ende war vorauszusehn.

Aber was war das?

Warum kam er dem Krauterer nicht näher? Warum gewann der Hundling sogar noch Raum?

»Ja Himmisakrafixelement!« schrie der Jagertoni, und sprang, den Steig verlassend, pfeilgrad in den übersteilen Hang hinab. Und trotzdem wurde der Abstand nicht kürzer. Weil nämlich der andere das gleiche tat, bloß leiser, geschmeidiger, zügiger…

In weniger als einer halben Stunde waren der alte, unheimliche Hias und sein Verfolger vom oberen Eibllahner bis hinab auf die Talstraße gestürmt. Ein Rekord ohnegleichen. Als der Jagertoni die letzten Meter über ein Felswandl die Straße hinabsprang, die Arme ausgebreitet wie ein Skiflieger, hockte der Steffei schon gemütlich auf einem Kilometerstein.

»Waar ma bald a wengl warm worn bei der Rennerei«, sagte er und zog sich die schwarze Zipfelmütze vom Gesicht.

Der Jagertoni zuckte zurück, fast setzte ihm das Herz aus, denn vor ihm saß, die Zigarette zwischen den blitzenden Zähnen – ein junger Mensch von 19 Lenzen, zwar auch ein Steffei, aber nicht der alte, sondern dessen verjüngte Ausgabe – der Franzl!

»So ham ma net g'wett'!« keuchte der Jäger, als er den ersten Schock überwunden hatte. »Verhaft bist!«

»Zwegen was?« grinste der Franzl, des alten Steffei jüngster Sproß.

»Zumindest wegen verbotenen Waffentragens«, sagte der Jäger streng, »und jetzt gibst dei Gewehr her.«

196

»Bittschön«, lächelte der Franzl und streckte dem Jager-toni ein Stück dunkelbraun gebeiztes Holzes hin, auf dessen oberer Kante ein verzinktes Wasserröhrl mit einem Lederriemen festgezurrt war.

»Was bedeutet des?« sagte der Jäger tief betroffen.

»Nix«, lachte der Franzl, »trainiert hab i halt a bißl – 's Davonlaffa moan i!«

Da hockte sich der Jagertoni völlig zerschmettert auf seinen Rucksack.

Im selben Moment krachte hinten an der Nordseite des Eiblkopfes in Richtung der Roßgräben, ganz weit, ganz fern, ein Büchsenschuß.

»Den Spruch kenn i, des war an Vattern sei Vorderla-der«, grinste der Franzl, warf sein Wasserrohr in den Straßengraben und hüpfte pfeifend davon.

»Es Sauhund... – es Sauhund...«, ächzte der Jagertoni schweißüberströmt.

Dann stürmte er wie ein Berserker den Hang hinauf.

Als er mit letzten Kräften oben am Eiblkopfgrat ankam, waren fast zwei Stunden verstrichen. Der Abstieg über die brüchigen Roßgräben nahm eine weitere Stunde in An-spruch.

Plötzlich war der Nebel da, es dunkelte schlagartig ein; völlig erledigt stolperte der Jäger zu Tal – der alte Steffei, daran war kein Zweifel – hatte die Wette gewonnen!

15. Dezember, abends acht. Ort der Handlung: Gast-haus »Zur Hirschwies«. Der Wegmacher hockte schon da, nach ihm polterte der riesige Eberwein Hansl in die Stube, diesem folgte schweigend, mit tiefernstem Gesicht der Revierjäger Anton Nogler, und ihm auf dem Fuße hüpfte kreuzfidel und springlebendig Steffei, der Erfolgreiche

herein, und hing feierlich vor aller Augen die etwas mickerige, mäßig ausgelegte Krucke eines mittelalten Gamsbocks an den hierfür vorgesehenen Platz.

Schweigende Ergriffenheit allerseits.

Und in diese hinein, wie ein Blitz aus heiterem Himmel, des Jägers rauhe, nur mühsam beherrschte Stimme:

»Dei Wett hast g'wonna, Herr Stefflbauer, aber jetzt verhaft i di wegen Wilderns.«

Und er griff sich, um keinen Zweifel über den Ernst der Lage aufkommen zu lassen, an die hintere Gesäßtasche, wo die Dienstpistole steckte.

Wie ein armer Sünder stand der Steffl Hias vor seiner Gamskrucke und stotterte:

»Is des dei Ernst, Toni?«

»Mir is nia ernster g'wen! Also marsch jetzt, pack dei Sach z'samm!«

»Is ja bloß a Gaudi g'wen, a reine Gaudi«, stieß der alte Steffei fast schluchzend hervor.

Aber der Jagertoni war jetzt im Dienst und kannte keine Gnade:

»I dank für die Gaudi! An Gamsbock wildern außer der Schußzeit, und an ausgesprochenen Zukunftsbock dazua, des kost di drei Monat, wenn net vier!«

Und er riß die Trophäe mit grobem Griff von der Wand und zählte ingrimmig die Jahresringe ab. Da stutzte er plötzlich. Drehte die Krucke hin, drehte sie her. Zweimal. Dreimal. Immer wieder. Kratzte mit dem Finger an der Hirnschale. Schaute entgeistert von einem zum andern, zuletzt dem alten Lumpen mitten ins Gesicht, der bis zu den Ohrwaschln grinste.

»Wann hast den g'schossen?«

»Wird a Jahr a zehne scho guat her sei«, sagte der Steffei schlicht. »Is da letzte g'wen. Hätt'n fast nimmer dertragen. Hört sich halt amal auf, 's Wildern, wenn ma in' Sechzger neigeht!«

»Und was bedeutet nacha des alles?« sagte der Jagertoni und fühlte, wie er erbleichte.

»Nix«, grinste der Steffei diabolisch. »I hab da ja g'sagt – a Gaudi is g'wen!«

Und er rief unter dem brüllenden Gelächter der zwei anderen:

»Franzl! Franzl! 's Faßl stich o! De Gaudi is' wert! Heut reut mi nix! Juche!«

Und allsogleich hörte man draußen in der Schänk, wie der Franzl den schweren Messinghahn mit dumpfen Schlägen ins Spundloch trieb.

Nur den vereinten Bemühungen der drei Männer gelang es, den tiefbeleidigten Jagertoni zum Bleiben zu bewegen, und erst nach der dritten Maß verwand er den ärgsten Groll über die vielen und unnötigen Strapazen, obwohl ein leise nagender Zweifel nicht weichen wollte, wenn er an den ominösen »Vorderladerschuß« dachte, hinten am dunklen Roßgraben.

Als die Feier ihren Höhepunkt schon überschritten hatte, das Bier bereits träge aus dem Hahn troff, der Wurmstötter Simmerl den Jagertoni mit Herr Revierförster anredete, schlich sich der alte Steffei hinauf in die Schlafkammer, kramte eine Schuhschachtel unter dem Bett hervor, griff hinein – und hielt die frischabgeschlagene Krucke eines wahrhaftigen Prachtlackels von Gamsbock in den Händen. Er streichelte mit den Fingern liebkosend über die Jahresringe, zwölf an der Zahl, prüfte die mes-

serscharfen Hakel, roch verzückt an den dicken Pechwül-
sten und murmelte: »Troffa hab i di no guat. Aber
obabracht hätt' i di fast nimmer. I glaub, jetzt hör i
wirklich auf mit'm Wuidern.

Oder was moanst du?«